주한미군지위협정(SOFA)

관련 기타 자료

주한미군지위협정(SOFA)

관련 기타 자료

| 머리말

　미국은 오래전부터 우리나라 외교에 있어서 가장 긴밀하고 실질적인 우호·협력관계를 맺어온 나라다. 6·25전쟁 정전 협정이 체결된 후 북한의 재침을 막기 위한 대책으로서 1953년 11월 한미 상호방위조약이 체결되었다. 이는 미군이 한국에 주둔하는 법적 근거였고, 그렇게 주둔하게 된 미군의 시설, 구역, 사업, 용역, 출입국, 통관과 관세, 재판권 등 포괄적인 법적 지위를 규정하는 것이 바로 주한미군지위협정(SOFA)이다. 그러나 이와 관련한 협상은 계속된 난항을 겪으며 한미 상호방위조약이 체결로부터 10년이 훌쩍 넘은 1967년이 돼서야 정식 발효에 이를 수 있었다. 그럼에도 당시 미군 범죄에 대한 한국의 재판권은 심한 제약을 받았으며, 1980년대 후반 민주화 운동과 함께 미군 범죄 문제가 사회적 이슈로 떠오르자 협정을 개정해야 한다는 목소리가 커지게 되었다. 이에 1991년 2월 주한미군지위협정 1차 개정이 진행되었고, 이후에도 여러 사건이 발생하며 2001년 4월 2차 개정이 진행되어 현재에 이르고 있다.

　본 총서는 외교부에서 작성하여 최근 공개한 주한미군지위협정(SOFA) 관련 자료를 담고 있다. 1953년 한미 상호방위조약 체결 이후부터 1967년 발효가 이뤄지기까지의 자료와 더불어, 이후 한미 합동위원회을 비롯해 민·형사재판권, 시설, 노무, 교통 등 각 분과위원회의 회의록과 운영 자료, 한국인 고용인 문제와 관련한 자료, 기타 관련 분쟁 자료 등을 포함해 총 42권으로 구성되었다. 전체 분량은 약 2만 2천여 쪽에 이른다.

2024년 3월

한국학술정보(주)

| 일러두기

· 본 총서에 실린 자료는 2022년 4월과 2023년 4월에 각각 공개한 외교문서 4,827권, 76만 여 쪽 가운데 일부를 발췌한 것이다.

· 각 권의 제목과 순서는 공개된 원본을 최대한 반영하였으나, 주제에 따라 일부는 적절히 변경하였다.

· 원본 자료는 A4 판형에 맞게 축소하거나 원본 비율을 유지한 채 A4 페이지 안에 삽입 하였다. 또한 현재 시점에선 공개되지 않아 '공란'이란 표기만 있는 페이지 역시 그대로 실었다.

· 외교부가 공개한 문서 각 권의 첫 페이지에는 '정리 보존 문서 목록'이란 이름으로 기록물 종류, 일자, 명칭, 간단한 내용 등의 정보가 수록되어 있으며, 이를 기준으로 0001번부터 번호가 매겨져 있다. 이는 삭제하지 않고 총서에 그대로 수록하였다.

· 보고서 내용에 관한 더 자세한 정보가 필요하다면, 외교부가 온라인상에 제공하는 『대한 민국 외교사료요약집』1991년과 1992년 자료를 참조할 수 있다.

| 차례

정/리/보/존/문/서/목/특

기록물종류	문서-일반공문서철	등록번호	11268 11252	등록일자	94-06-13
분류번호	729.42	국가코드		주제	
문서철명	SOFA-주한 미군에 대한 환율적용 문제, 1968-71				
생산과	북미2과	생산년도	1968 - 1971	보존기간	영구
담당과(그룹)	미주	안보		서가번호	--
참조분류					
권차명					
내용목차	1. 기본문서 2. 자료				

마/이/크/로/필/롬/사/항

촬영연도	*롤 번호	화일 번호	후레임 번호	보관함 번호
2007-09-27	Re-07-12	1	1-104	

색 인 목 록

분류번호	등록번호	생산과	생산년도	필름번호		화일번호	프레임번호		
				년도	번호		시작		끝
729.42 1968-71	11268	북미2과	1971	0 2 -	1 1 0 7		1 -		9 8

기 능 명 칭 : 주한미군에 대한 환율적용 문제, 1968-71

일 련 번 호	내 용	페 이 지
1	기)본문서	1 1 1 4
2	자료	1 1 71 3
		1 1 1
		1 1 1
		1 1 1
		1 1 1
		1 1 1
		1 1 1
		1 1 1
		1 1 1
		1 1 1
		1 1 1

2

공 란

공   란

공   란

공   란

공   란

공   란

공   란

공   란

공   란

공 란

공   란

공   란

주한미군지위협정(SOFA) 관련 기타 자료

공   란

공   란

공   란

공   란

공 란

공   란

공　　란

공   란

공 란

공   란

공   란

공   란

공　　　　　란

공   란

공   란

공 란

공　　란

공 란

주한미군지위협정(SOFA) 관련 기타 자료

공　　란

공　　　　란

공　　　　란

공 란

공   란

공　　　　란

공   란

공　　　란

공   란

공   란

공   란

공   란

주한미군지위협정(SOFA) 관련 기타 자료

공   란

공   란

주한미군지위협정(SOFA) 관련 기타 자료

공   란

공   란

공 란

공　　란

공   란

공 란

공   란

공   란

공 란

공   란

주한미군지위협정(SOFA) 관련 기타 자료

공 란

공   란

공   란

공   란

공 란

공   란

주한미군지위협정(SOFA) 관련 기타 자료

공 란

공 란

공 란

공   란

주한미군지위협정(SOFA) 관련 기타 자료

공   란

공 란

공　　　　란

공   란

주한미군지위협정(SOFA) 관련 기타 자료

공   란

공   란

주한미군지위협정(SOFA) 관련 기타 자료

공 란

공   란

주한미군지위협정(SOFA) 관련 기타 자료

공   란

2. 자료

71

주한미군지위협정(SOFA) 관련 기타 자료

주　독　대　사　관

독정 750- 87　　　　　　　　　　　　　　　1971. 1. 26.

수신 : 외무부장관

제목 : 주둔미군에 대한 적용 환율

　　대 : 미이 11589 (70. 10. 10.)

　　1. 독일에 있어서 1 미불당 Deutsche Mark 의 IMF 평가는 3.66 DM 임. 당지 Frankfurt 증권 거래쇼 (외환시장)에서는 매일 그날의 외환시세를 공시하고 있는바, 이 외환의 공시율은 평가 (1미불당 3.66 DM)의 상하 각각 0.75 퍼센트 범위 내에서 결정되고 있음. 예를 들면, 1970. 11. 13. 현재 공시율은 1미불당 매입율 3.6275, 매도율은 3.6375로 이 중간율은 3.6325가 되는 셈임.

　　2. 독일 주둔 미군에게 접용되는 환율은 매입, 매도율의 중간율로서 전기 제1항 예시의 경우 3.6325가 접용된다고 함. 다만, 미군이 불화를 독일 은행에 불입한 전날의 중간 환율을 접용한다고 함. 따라서 예를 들면, 미군이 1970. 11. 14.에 불화를 불입하였을 경우 그 전날인 11. 13.자 공시율의 중간율인 3.6325가 적용된다고 함.

주　　　독　　　대　　　사

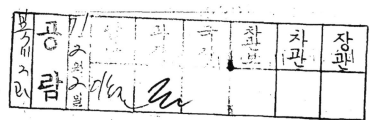

72

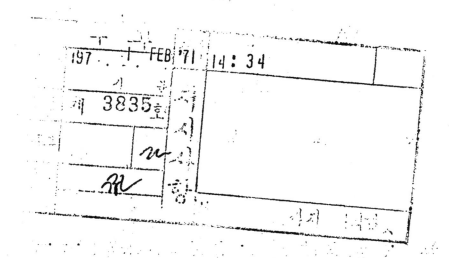

第5章 外國換의 集中

第17條 (居住者의 對外支給手段의 集中) ①財務部長官은 大統領令이 定하는 바에 의하여 居住者에 대하여 다음 各號의 1에 該当하는 財産을 韓國銀行, 外國換銀行, 換錢商, 外國換平衡基金 其他 政府機関또는 金融機関에 保管 또는 賣却시키거나 登錄 또는 預置하게 할 수 있다 (1967. 3. 30 本項改正)

1. 對外支給手段

2. 貴金属

3. 外貨證券

4. 外貨債権

② 前項의 規定은 外國人인 居住者와 第4條第13 號 但書에 規定된 居住者에 對하여는 이 法 또는 非居住者의 大韓民口內의 ~~支給~~ 財産등

이 法에 依하여 發하는 命令의 適用을 받는

15

第5章 外國換의 集中

去來로서 取得하는 것에 限하여 適用된다

第18條 (非居住者의 國內対外支給手段等의 集中)

財務部長官은 大統領令이 정하는 바에 의하여

非居住者에 대하여 大韓民國內에 있는 다음各号의

1에 該当하는 財産을 韓国銀行, 外國換銀行, 換錢

商, 外國換平衡基金 기타 政府機関 또는 金融機関

에 保管 또는 賣却시키거나 登録 또는 預置하게

할 수 있다

1. 對外支給手段

2. 貴金属

3. 外貨證券

4. 外貨債権

(1962. 3. 30 本條改正)

第19條 (非居住者의 内國支給手段等의 集中)

財務部長官은 大統領令이 定하는 바에 依하여 非

居住者에 対하여 다음 各号의 1에 該当하는

16

財産을 韓國銀行, 外國換銀行, 換錢商, 外國換平衡基

金, 기타 政府機關 또는 金融機關에 保管시키거나

登録 또는 預置하게 할 수 있다.

1. 內國支給手段

2. 內國通貨로서 表示된 債權

3. 內國通貨로서 表示된 證券

(1967. 3. 30 本條改正)

第20條 (債權의 回收義務) ① 非居住者에 對한

債權을 取得하는 居住者는 이 法 또는 이 法에

依한 大統領令으로서 定하는 境遇를 除外하고는

그 債權의 期限의 到來 또는 條件의 戍就後 遲

帶없이 이를 推尋하여야 한다.

② 前項의 債權에 對하여는 그 全部 또는 一部

를 免除하거나 額面以下의 辨濟를 받거나 辨濟의

遲延을 默認함으로써 이를 減損하여서는 아니된다.

但 財務部長官이 不得己하다고 認定하는 境遇에는

例外로 한다.

17

95

第6章 制限과 禁止

第21條 (支給) ① 居住者나 非居住者는 大韓民國內에서 이法 또는 이 法에 依한 大統領令으로써 定하는 境遇를 除外하고는 다음 各號의 1에 該當하는 行爲를 하여서는 아니된다

1. 外國에 対한 支給

2. 非居住者에 対한 支給 또는 非居住者로 부터의 支給의 領收

3. 非居住者를 爲하여 居住者에게 行하는 支給 또는 그 支給의 領收

4. 非居住者와의 計定間의 移替

② 前項第2號 乃至 第4号의 規定은 非居住者가 大韓民國內에 滯在함에 隨伴하는 生活費, 日常品 또는 用役의 購入等의 費用을 支辨하기 爲한 內國通貨에 依한 支給이나 非居住者가 大韓

18

第4章 外國換의 集中

第19條 (居住者의 對外支給手段等의 集中義務) ①居
住者는 財務部長官의 定하는 바에 依하여 다음 各
號의 1에 該當하는 財産을 韓國銀行 外國換銀行이
나 換錢商이나 基金에 売却하기나 또는 그 推委을
依賴하여 이를 売却하여야 한다 (9)

1. 對外支給手段

2. 外貨債權

②財務部長官은 必要하다고 認定하는 때에는 韓國銀
業鍊公社에 對하여 金을 韓國銀行에 売却하게 할
수 있다 (3)

③財務部長官은 居住者가 売却 또는 推委의 依賴를
할수 없거나 기타 不好하다고 認定되는 事由가
있을 때에는 前2項의 規定에 불구하고 그 對外支
給手段 金 또는 外貨債權을 韓國銀行 外國換銀行

23

外国換管理法施行令

通信官署 税関 기타 財務部長官이 指定하는 機関에

保管 登錄 또는 預置하게 할수 있다 (3)

③財務部長官은 居住者가 取得하거나 保有하는 外貨
證券을 韓國銀行 外國換銀行 또는 税關에 保管 또
는 登錄하게 할 수 있다 (3)

第20條 (非居住者의 大韓民國에 있는 支給手段) ①

大韓民國內의 非居住者는 大韓民國內에 있는 외화
支給手段을 財務部長官이 定하는 바에 依하여 登錄
하거나 韓國銀行 外國換銀行 換錢商·基金 또는
税關에 保管 또는 預置하거나 売却하여야 한다 (9)

②財務部長官은 非居住者가 取得한 內國支給手段으로
서 財務部長官이 指定하는것에 대하여는 韓國銀行
外國換銀行 通信官署 税關·其金기타 財務部長官이
指定하는 機関에 이를 保管 預置 또는 登錄하게

할수 있다 (1) (4) (9)

24

外國換管理法施行令

③ 〈削除〉(가)

② 〈削除〉(가)

第21條 (集中義務의 免除) 財務部長官은 다음 各

號의 1에 該當하는 境遇에는 第19條 또는 前

條의 規定에 依하여 売却 推尋의 依賴 保管 預置

또는 登錄의 義務를 免除할 수 있다.

1. 財務部長官이 그 財産이 國際收支上 重要하지

아니하다고 認定하는 境遇

2. 財務部長官이 韓國銀行 外國換銀行 換錢商 其

他의 者에 對하여 對外支給 手段 金 또는

外貨債權의 保有를 認定하는 境遇

2의2. 居住者가 第7條2의 規定에 의하여 韓

國銀行 外國換銀行으로부터 外換證書를 發行

交付 받는 경우 (3)

2의3. 韓國銀行法 第101條의 規定에 의하여

25

認可를 받은 境遇 (7)

3. 其他 財務部長官이 必要하다고 認定하는 境遇

第22條 (売却命令) ① 財務部長官은 必要하다고

認定하는 境遇에는 韓國銀行 外國換銀行 換

錢商 또는 其他의 者에 対하여 前條 第二号에

依하여 保持가 認定된 対外支給手段 金 또는 外貨

債権의 全部 또는 一部를 政府 韓國銀行 또는

指定된 外國換銀行 기타의 者에게 売却하게 할

수 있다 (4)

② 財務部長官은 國際收支上 特히 必要하다고

認定하는 境遇에는 商務会議의 議議를 거쳐

大統領의 承認을 얻어 第19條 第3項 및

第4項의 規定에 依하여 保管 登錄 또는 預置

한 財産의 全部 또는 一部를 政府 韓國銀行 또는

外國換銀行에 売却하게할수 있다(2) (4)

第23條 (債權의 回收義務) 非居住者에 對한 債權을 取得하는 居住者는 다음各號의 1에 該當하는 境遇 를 除外하고는 그 債權의 期間이 到來하였거나 또 는 條件이 成就되었을 때에는 遲滯없이 正常決濟 方法에 依하여 이를 推尋하여야 한다.

1. 大韓民國國民以外의 居住者 (法第4條第13号 但書 의 規定에 의한 居住者를 包含하여 이하 "外國人 居住者"라 한다.) 가 法 또는 이 令의 適用을 받지 아니하는 去來에 依하여 外貨債權을 取得하는 境 遇 (2)

2. 財務部長官이 定하는 바에 依하여 指定 또는 許可를 받아 債權을 推尋하지 아니하거나 債權의 推尋期間을 延長하거나 또는 正常外決濟方法에 依 하여 債權을 推尋하는 境遇

27

81.

外國換管理規程

第7章 登錄及保管

第40條 (登錄) ① 第10條 第2項 及 第13條

의 規定하는 非居住者를 제외한 기타 非居住者는

다음 各號에 해당하는 경우에 指定外通貨로 표시

된 對外支給手段(美合衆國軍票를 포함한다)을 指

定外通貨登錄証에 그 種類別 通貨別 金額을 記入

하여 第1號의 경우에는 稅關, 第2號의 경우에는

韓國銀行 또는 保管하게한 稅關, 第3號 및 第4

號의 경우에는 韓國銀行의 확인을 받아야 한다

다만 第1號의 경우 그 合計額이 美合衆國通貨

50弗 또는 그 相當額 이하인 경우에는 登錄을

要하지 아니한다 (19), (21)

1. 入國通貨하는 때에 携帶輸入하는 경우 (21)

2. 第45條第2項의 規定에 의하며 返還받은 경우

825

3 郵便에 의하여 輸入된 경우 다만 그 事異을

証明할 수 있는 경우에 限한다

기타 인정된 去來에 의하여 取得하는 경우

㉡ 前項의 規定에 의한 登錄을 어라의 稅關의

長은 入國하는 非居住者에게 韓國銀行 總裁는

指定外通貨登錄証을 所持하지 아니한 非居住者에

게 指定外通貨登錄証을 발행 交付하여야 한다

(21)

㉢ 削除 (21)

㉣ 削除 (21)

㉤ 非居住者와 指定外通貨에 의한 去來를 하는

者는 그 去來의 事異 通貨別 種類別金額 去來

年月日을 指定外通貨登錄証에 記入하고 確認欄에

그 營業所의 記章을 金額欄에 取報者 私印을

각각 捺印하여야 한다 (21)

外國換管理規程

⑥ 非居住者는 指定外通貨登錄証을 紛失하였을 경우에는 그 指定外通貨登錄証을 發行 交付받은 稅關 또는 韓國銀行에 指定外通貨登錄証에 登錄된 支給手段等을 紛失하였거나 盜難當하였을 경우에는 警察官署에 그 事實을 지체없이 申告하고 확인을 받아야 하며 居住者가 된 경우에는 지체없이 稅關 또는 韓國銀行에 指定外通貨登錄証을 返期하고 그 指定外通貨는 第4條의 規定에 따라 保管하여야 한다 (又는)

⑦ 居住者는 다음 各号의 1에 해당하는 支給手段등을 韓國銀行에 登錄하여야 한다

1. 國民인 居住者가 外國에 所有하는 外貨支給手段 外貨証券, 外貨債權, 黃金區 또는 債权을 体하는 書類로서 外國換銀行이 買入 또는 그 推尋의 依賴를 依賴할 수 없는 것

外國換管理規程

가 있는 것

② 外國人居住者가 法第17條 第2項의 規定에
의하여 法의 適用을 받지 아니하는 外貨債權을
化体하는 書類로서 國內에서 所持 또는 所有하
고 있는 것

② 外國人 居住者가 前項 第2号의 規定에 의
하여 登錄된 書類를 第32條 第4項 各号의
1에 해당하는 事由로 外國換銀行을 通하여 推
尋供用하거나 外國換銀行에서 処分하고자 하는
경우에는 外國換銀行의 長의 認証을 기타의 事
由로 推尋 使用 또는 処分하고자 하는 경우에
는 韓國銀行総裁의 許可를 받아야 한다.(31)

② 居住者는 第2項 第1号의 規定에 의하여
登錄된 財産이 外國換銀行에서 買收할 수 있지

外國換管理規程

떠거나 그 推尋의 低額을 회 하여 買入할 수 있세원 경우에는 第23條의 規定에 遵하여 노 財産을 外國銀行에서 內國支拂手段을 代價로 売却하여야 한다

◎ 居住者는 第7項의 規定에 의하여 登錄한 事項에 變更이 있을 경우에는 지체없이 韓國銀行에 換買登錄을 하여야 한다

削除(見)

外國換管理規程

第41條 (居住者의 保管義務) 의 第28條의 規定에
불구하고 居住者는 다음 各號의 1에 해당하는

경우는 청구支給寺段, 外貨債券 및 外貨債权을
化体하는 書類를 第2項의 정하는 區分에 따라

第28條의 規定하는 期間内에 保管하지 아니하여야
한다 다만 前條 第7項의 경우에는 예외로 한

다(21)

┌─────────────────────────────────┐
│ 居住者가 外國換銀行에 買入할 수 없거나 또 │
│ 는 그 推算의 低額을 리많컬 수 없는 청와支 │
│ 給寺段(美合衆國軍票를 포함한다) 또는 外貨債 │
│ 权을 化体하는 書類를 取得하거나 所持하게 │
│ 된 경우   │
└─────────────────────────────────┘

2 削除(21)

3 削除(21)

4 削除(14)

第41條   外國換管理規程
（別紙의 各項書類）

1). 外貨證券을 取得하려거나 所持하고 있는 경우

이. 稅務 기타 政府기관에서 法 및 기타 法規에

의하여 對外支給手段 外貨證券이나 外貨債權을

化体하는 書類를 押收 또는 還收하는 경우

다만 押收의 경우에 있어서는 外國換銀行에서

買入할 수 없거나 그 推尋依賴를 의뢰할 수

없는 경우에 限한다

7). 居住者가 海外旅行經費의 支給에 충당하기 위

하여 非居住者 또는 外國人居住者로 부터 對外

支給手段을 贈与 받은 경우

8). 外交官 기타 이에 準하는 身分을 가진 公務

員(軍人 軍屬을 포함한다 이하 같다)으로서

在外公舘에 勤務하고 있는 居住者나 또는 家族

및 海外出張中인 公務員이 一時 歸國의 目的으

로 入國通關時 對外支給手段을 携帶輸入하는 경우

88

외國換管理規程

다만 少金 및 入國한 날로 부터 3月 이내에
再出國하여 外國에서 使用하려나 할 金額에 限
한다 (14)

② 前項의 規定에 의한 保管機關 (이하 "保管
機関"이라 한다)은 다음 各号에 의한다

1. 前項第1号 및 第5号 第6号 및 第9号에
規定하는 경우에는 韓國銀行 다만 第1号의 경
우 居住者는 稅關 遞信官署 外國換銀行 또는
金融機関 및 換錢商에 그 保管措置를 依頼 할
수 있다 (18)

2. 削除 (21)

3. 前項 第7号의 規定하는 경우에는 甲類外國換
銀行 (18)(21)

② 保管機関은 그 保管하는 支拂手段등의 推尋
을 요하는 경우에는 保管依頼人으로 하여금 背

外国換管理規程

署長 推薦에 필요한 措置를 取하게 하여야 한
다. 다만 그 保管依頼人이 推薦의 依頼를
할 故限이 없는 者이거나 기타 推薦의 依頼를
하게 할 수 없는 事由가 있는 경우에는 예외
로 한다

④ 第2項 第1号의 경우 韓國銀行總裁는 財務
部長官의 承認을 얻어 그 保管에 관한 事務의
一部를 外国換銀行의 長에게 委託할 수 있다

(끝)

90

한 국 은 행

년 월 일

特定外來品販賣所現況및販賣實績

(67年末現在)

業體名	位數	販賣實績	備考
國際觀光公社	19	1,254千弗	Commissary.; 8位 Hotel ; 11位
外人專用業所	87		
Hotel協会	33	} 707千弗	
其他	19		싸롱, 룸, 모텔, 기타 업자 상당수.
計	158	1,961千弗	

(資料: 商工部)

地域別 特定外來品販賣所現況

地域	位數	地域	位數
서울	45位	전남	4
부산	24 "	제주	5
경기	61 "		
강원	5 "		
경북	5 "		
경남	5 "		
충남	4 "	計	158

( )

91

〈參考事項〉

美軍票 使用에 関한 関係規程 內容

1. 外國換管理規程 第49條의 2 (行協 發效 60에 制定)

國聯軍, 美□軍政 및 그 構成員 等이 対外 支給手段 等을
輸入하거나 (□以에서) 取得한 때에는 輸入 또는 取得時로
부터 48時間 以內에 軍用銀行施設의 軍票 預金 計定에
預置하거나 또는 軍用銀行施設, 外□換銀行 또는 換
錢商에 원貨 代価로 賣却하거나 軍用銀行施設을
通하여 軍票로 交換하여야 함.

2. 韓美行政協定 第19條 (67.2.9. 發效)

· 美□軍票는 美国에 依하여 認可받은 者가 그들 相互間에
去來를 行한 境遇에 限하여 使用할 수 있음.

· 美□政府 및 韓□政府는 認可받지 않은 者의 軍票使用을
禁止함에 必要한 措置를 取함.

(   )

92

1. 다음表에서 보는 바와 같이 外換統計月報와 UNC Central Funding officer 의 數字間에는 23,100千弗 의 差異가 있는데 外換統計月報上의 計數는 駐韓 U.N. 軍뿐만 아니라 越南等 口와 駐去 UN 軍에 對한 軍納도 包含하고 있으며. 口와 軍內에는 現地調達品 및 現地에서 直接 用役,建設을 提供 하는 것도 包含하고 있으므로 UNC 計數보다 많음.

2. 現地調達品等의 軍納 實績은 그 計數을 把握할 수 없으므로 그 差額의 正確한 原因은 알 수 없음.

(單位 ; 千美弗)

資料	區 分	金 額
外換統計月報	對口聯軍貿易外受入	147,143
UNC. Central Funding officer	外貨調達을 위한 外換賣却額	124,043
	差 額	23,100

(   )

93

受 取 RECEIPTS

	合 計 Total	海外旅行者 Foreign traveller	運 輸 Transportation					保 險 Insurance	投 資 收 益 Int'l investment income		
			小 計 Sub-total	貨物運賃 Freight	旅客運賃 Passenger fares	港灣經費 Port disburse-ment	其 他 Others		小 計 Sub-total	定期頂金利子 Interest on due from banks	其 他 Others
1961	123,597	1,353	1,167	232	850	85	—	81	4,563	3,935	628
1962	122,318	3,092	1,451	714	667	22	48	25	5,160	4,840	320
1963	91,817	2,726	2,606	533	1,853	143	79	24	3,355	3,289	66
1964	97,102	2,789	4,315	413	2,312	1,589	1	169	3,755	3,755	—
1965	125,763	7,724	4,336	924	2,615	778	19	141	3,726	3,726	—
1966	229,288	16,186	5,639	2,166	2,947	450	76	937	5,571	5,571	—
1967	370,626	16,316	10,076	6,187	2,470	1,173	244	6,793	10,104	10,104	—
1966. 12月 Dec.	29,548	1,139	416	127	263	27	—	30	251	251	—
1967. 1月 Jan.	21,522	1,025	353	47	263	43	—	574	914	914	—
2月 Feb.	25,834	1,163	587	231	320	9	26	1,191	814	814	—
3月 Mar.	27,526	1,451	1,149	632	448	69	—	550	681	681	—
4月 Apr.	35,370	1,592	443	204	204	31	4	402	567	567	—
5月 May	33,204	1,790	1,171	457	343	371	—	584	777	777	—
6月 June	28,482	1,292	725	289	300	121	14	577	655	655	—
7月 July	31,484	1,425	828	479	127	185	37	251	918	918	—
8月 Aug.	33,526	1,454	791	607	58	105	21	526	734	734	—
9月 Sept.	29,423	1,337	680	552	66	32	30	515	765	765	—
10月 Oct.	33,143	1,615	958	728	147	55	28	817	1,126	1,126	—
11月 Nov.	32,421	1,143	1,093	825	110	97	61	374	997	997	—
12月 Dec.	38,691	1,029	1,298	1,136	84	55	23	432	1,156	1,156	—
年初來累計 Jan.~Dec. 1967	370,626	16,316	10,076	6,187	2,470	1,173	244	6,793	10,104	10,104	—

支 拂 PAYMENTS

	合 計 Total	海外旅行者 Foreign traveller					運 輸 Transportation					保 險 Insurance
		小 計 Sub-total	留學生 Students	一般業務旅行 General business travel	政府官吏 Gov't official	其他 Others	小 計 Sub-total	貨物運賃 Freight	旅客運賃 Passenger fares	港灣經費 Port disburse-ment	其他 Others	
1961	15,541	2,374	776	816	722	60	5,919	3,967	1,674	278	—	187
1962	29,964	2,166	642	824	656	44	11,717	9,339	2,045	260	73	263
1963	39,403	2,276	611	796	664	205	20,694	13,773	3,004	2,430	135	715
1964	38,605	2,381	557	1,044	630	149	22,144	13,005	5,292	2,548	468	929
1965	38,499	1,662	503	703	376	80	23,312	15,776	4,881	13,836	1,354	652
1966	44,726	3,193	355	1,625	1,020	202	20,125	13,449	3,996	915	1,765	1,399
1967	89,358	8,396	511	6,065	1,490	331	33,202	24,564	4,349	2,295	1,997	3,232
1966. 12月 Dec.	6,768	530	41	255	183	50	2,584	1,717	422	181	263	150
1967. 1月 Jan.	3,189	321	33	193	73	23	1,533	1,070	329	111	23	110
2月 Feb.	5,739	500	39	311	138	12	1,788	1,263	362	85	78	636
3月 Mar.	6,939	445	48	302	75	20	2,526	2,118	178	188	43	572
4月 Apr.	5,172	483	35	380	44	24	1,824	1,485	159	175	5	85
5月 May.	8,478	511	45	388	47	31	2,793	2,002	536	256	—	195
6月 June	8,290	662	30	498	112	22	3,242	2,301	561	303	77	59
7月 July	8,113	729	29	545	137	18	3,100	2,104	638	324	34	41
8月 Aug.	9,312	892	40	676	148	28	3,925	3,431	254	142	98	307
9月 Sept.	7,819	1,178	48	786	307	37	2,487	1,885	393	87	122	439
10月 Oct.	7,684	953	62	692	141	58	2,873	2,068	253	207	345	103
11月 Nov.	8,393	857	52	651	121	33	3,457	2,438	254	231	534	241
12月 Dec.	10,230	865	50	643	147	25	3,655	2,399	432	186	638	444
年初來累計 Jan.~Dec. 1967	89,358	8,396	511	6,065	1,490	331	33,202	24,564	4,349	2,295	1,997	3,232

— 137 —

194

（15) 商　品　別　輸　入　(請求權)
Imports by Commodity (P.A.C.)

單位：千美弗

In thousand U.S. dollars

SITC Code	商　　品　　別 Commodity		1966	1967年累計 Jan.~Dec.	1967年12月 Dec.
72	電　氣　機　器　類	Electric machinery apparatus and appliances	4	38	8
12	電　動　機	Motors	1	—	—
33	電　氣　通　信　機　器	Electrical communication equipment	4	23	—
40	家庭用 電氣機器	Domestic electrical equipment	—	1	—
90	其他電氣機器類 (別揭以外)	Other electric machinery apparatus and appliances n.e.s.	—	15	8
73	運　搬　用　機　器　類	Transport equipment	7,876	1,386	275
19	鐵道用車輛吳部分品	Railway and tramway vehicles and parts	7,679	—	8
22	貨　物　自　動　車	Lorries and trucks	—	542	—
29	自　動　車　部　分　品	Parts of motor cars and vehicles	167	836	267
40	船　　舶	Ships and boats	23	8	8
90	其　　他	Others	7	—	—
8	雜　　製　　品	Miscellaneous manufactured article	21	6	4
86	科學用機器, 理化學用機器, 調製裝置, 寫眞用品, 光學機器吳時計	Professional, scientific and controlling instrument, photographic and optical goods, watches and clocks	21	6	4
16	測定機器, 調整機器吳科學機器(別揭以外)	Measuring, controlling and scientific instruments, n.e.s.	21	6	4
9	特　殊　去　來　品	Special transactions	—	—	—
	總　　計	Total	17,716	14,346	2,857

95

— 136 —

Declare 지지않았으므로 호환린
(外投管理規程)

(16) 主 要 項 目 別
Receipts and Payments

受 取 RECEIPTS

	合計 Total	海外旅行者 Foreign traveller	運輸 Transportation					保險 Insurance	投資收益 Int'l investment income		
			小計 Sub-total	貨物運賃 Freight	旅客運賃 Passenger fares	港灣經費 Port disbursement	其他 Others		小計 Sub-total	定期頂金利子 Interest on due from banks	其他 Others
1961	123,597	1,353	1,167	232	850	85	—	81	4,563	3,935	628
1962	122,318	3,092	1,451	714	667	22	48	25	5,160	4,840	320
1963	91,817	2,726	2,606	533	1,853	143	79	24	3,355	3,289	66
1964	97,102	2,789	4,315	413	2,312	1,589	1	169	3,755	3,755	—
1965	125,763	7,724	4,336	924	2,615	778	19	141	3,726	3,726	—
1966	229,288	16,186	5,639	2,166	2,947	450	76	937	5,571	5,571	—
1967	370,626	16,316	10,076	6,187	2,470	1,173	244	6,793	10,104	10,104	—
1966. 12月 Dec.	29,548	1,139	416	127	263	27	—	30	251	251	—
1967. 1月 Jan.	21,522	1,025	353	47	263	43	—	574	914	914	—
2月 Feb.	25,834	1,163	587	231	320	9	26	1,191	814	814	—
3月 Mar.	27,526	1,451	1,149	632	448	69	—	550	681	681	—
4月 Apr.	35,370	1,592	443	204	204	31	4	402	567	567	—
5月 May	33,204	1,790	1,171	457	343	371	—	584	777	777	—
6月 June	28,482	1,292	725	289	300	121	14	577	655	655	—
7月 July	31,484	1,425	828	479	127	185	37	251	918	918	—
8月 Aug.	33,526	1,454	791	607	58	105	21	526	734	734	—
9月 Sept.	29,423	1,337	680	552	66	32	30	515	765	765	—
10月 Oct.	33,143	1,615	958	728	147	55	28	817	1,126	1,126	—
11月 Nov.	32,421	1,143	1,093	825	110	97	61	374	997	997	—
12月 Dec.	38,691	1,029	1,298	1,136	84	55	23	432	1,156	1,156	—
年初來累計 Jan.~Dec. 1967	370,626	16,316	10,076	6,187	2,470	1,173	244	6,793	10,104	10,104	—

支 拂 PAYMENTS

	合計 Total	海外旅行者 Foreign traveller					運輸 Transportation					保險 Insurance
		小計 Sub-total	留學生 Students	一般業務旅行 General business travel	政府官吏 Gov't official	其他 Others	小計 Sub-total	貨物運賃 Freight	旅客運賃 Passenger fares	港灣經費 Port disbursement	其他 Others	保險 Insurance
1961	15,541	2,374	776	816	722	60	5,919	3,967	1,674	278	—	187
1962	29,964	2,166	642	824	656	44	11,717	9,339	2,045	260	73	263
1963	39,403	2,276	611	796	664	205	20,694	13,773	3,004	2,430	135	715
1964	38,605	2,381	557	1,044	630	149	22,144	13,005	5,292	2,548	468	929
1965	38,499	1,662	503	703	376	80	23,312	15,776	4,881	13,836	1,354	652
1966	44,726	3,193	355	1,625	1,020	202	20,125	13,449	3,996	915	1,765	1,399
1967	89,358	8,396	511	6,065	1,490	331	33,202	24,564	4,349	2,295	1,997	3,232
1966. 12月 Dec.	6,768	530	41	255	183	50	2,584	1,717	422	181	263	150
1967. 1月 Jan.	3,189	321	33	193	73	23	1,533	1,070	329	111	23	110
2月 Feb.	5,739	500	39	311	138	12	1,788	1,263	362	85	78	636
3月 Mar.	6,939	445	48	302	75	20	2,526	2,118	178	188	43	572
4月 Apr.	5,172	483	35	380	44	24	1,824	1,485	159	175	5	85
5月 May.	8,478	511	45	388	47	31	2,793	2,002	536	256	—	195
6月 June	8,290	662	30	498	112	22	3,242	2,301	561	303	77	59
7月 July	8,113	729	29	545	137	18	3,100	2,104	638	324	34	41
8月 Aug.	9,312	892	40	676	148	28	3,925	3,431	254	142	98	307
9月 Sept.	7,819	1,178	48	786	307	37	2,487	1,885	393	87	122	439
10月 Oct.	7,684	953	62	692	141	58	2,873	2,068	253	207	345	103
11月 Nov.	8,393	857	52	651	121	33	3,457	2,438	254	231	534	241
12月 Dec.	10,230	865	50	643	147	25	3,655	2,399	432	186	638	444
年初來累計 Jan.~Dec. 1967	89,358	8,396	511	6,065	1,490	331	33,202	24,564	4,349	2,295	1,997	3,232

— 137 —

96

單位：千美弗

SITC Code	商 品 別 Commodity		1966	1967年累計 Jan.~Dec.	1967年12月 Dec.
72	電 氣 機 器 類	Electric machinery apparatus and appliances	4	38	8
12	電 動 機	Motors	1	—	—
33	電 氣 通 信 機 器	Electrical communication equipment	4	23	—
40	家庭用 電氣機器	Domestic electrical equipment	—	1	—
90	其他電氣機器類（別揭以外）	Other electric machinery apparatus and appliances n.e.s.	—	15	8
73	運 搬 用 機 器 類	Transport equipment	7,876	1,386	275
19	鐵道用車輛及部分品	Railway and tramway vehicles and parts	7,679	—	8
22	貨 物 自 動 車	Lorries and trucks	—	542	—
29	自動車部分品	Parts of motor cars and vehicles	167	836	267
40	船 舶	Ships and boats	23	8	8
90	其 他	Others	7	—	—
8	雜 製 品	Miscellaneous manufactured article	21	6	4
86	科學用機器，理化學用機器，調製裝置，寫真用品，光學機器및時計	Professional, scientific and controlling instrument, photographic and optical goods, watches and clocks	21	6	4
16	測定機器，調整機器및科學機器（別揭以外）	Measuring, controlling and scientific instruments, n.e.s.	21	6	4
9	特 殊 去 來 品	Special transactions	—	—	—
	總 計	Total	17,716	14,346	2,857

— 136 —

國內 에서 外貨로 物品을 販売 하는 境遇

1. 特定外来品 販売禁止法 第5條
第1次 但書 規定에 의한 特定
外来品 販売業体   158個所

{ 國際観光公社
外口人専用業術
Hotel 協会
其他

{優待措置}

1. 特定外来品을 搬入 場合 있음
前年度 販売実債基準으로 MOF의
外貨使用許可 取得後

2. 関稅率 50% 以上 일때 免稅

3. 90日 D/A 搬入許容

4. 外貨現札로 必全領収 子守
搜載商이 搜載 해주고 있음

5. 所得稅 50% 減免 (所得金額 10億)
                              10倍)

98
98

● 貿易去來情施行令 第1條 第5項
  及 第7條 第1項에 의하여
  國內에서 物品을 外貨로 完拂
  하는 容

新世界百貨店이 1968. 4. 20字
로 許可를 得 하였음

{優待取扱}
1. 輸出入許可를 받을수있음
2. 政府投資機關이 限定하는경우
   輸出用原資材 輸入의 경우와같이
   90日 D/A 輸入이 許容되고있음
3. 輸出家實과 認定등 一般輸出
   과 同等한 待過를 받음
4. 外貨增朴領受可
   4時 玉日까지 外國佳銀行에 完拂要
5. 所得稅 50% 減免, 營業稅免除

特定外來品販賣禁止法 [1961·5·10 法律第616號]

改正　1961·7·14 法律第657號
　　　1963·3·12 法律第1301號

第1條　(目的)　本法은 國內産業을 沮害하거나 奢侈性이 있는 特定外來品의 販賣를 禁止함으로써 國內産業의 保護와 健全한 國民經濟의 發展을 期함을 目的으로 한다.

第2條　(定義)　①本法에서 特定外來品이라 함은 國內産業을 沮害하거나 奢侈性이 있는 外國産物品中別表에 揭記하는 品種에 屬하는 것으로서 國務院令으로 指定하는 것을 말한다.

②國産品과 特定外來品을 混合또는 加工하거나 其他의 方法으로써 製造된 物品의 全部또는 主要部分이 特定外來品으로서의 價値가 있는 것으로서 國務院令으로 指定하는 物品은 前項의 特定外來品으로 看做한다.

③本法에서 販賣라 함은 營利의 目的으로 特定外來品을 所有또는 占有하는 行爲를 包含한다.

第3條　(特定外來品審査委員會)　①特定外來品의 指定에 關한 事項을 審査하게 하기 爲하여 財務部長官所屬下에 特定外來品審査委員會(以下審査委員會라한다)를 둔다.

②審査委員會의 組織其他 必要한 事項은 國務院令으로 定한다.

第4條　(特定外來品의 指定)　①第2條第1項의 規定에 依한 特定外來品을 指定하는 閣令은 그 施行日 1月前에 公布하여야 한다.

②特定外來品의 指定當時에 旣히 輸入信用狀이 開設된 物品으로서 輸入免許가 되기 前에 特定外來品으로 指定된 것에 對하여는 輸入免許의 날

(旦 1)

(追 1)

로부터 2月後 本法을 適用한다.

③稅關長은 前項에 該當하는 特定外來品에 對하여 그 每個마다 閣令의 定하는 바에 依하여 通關標識를 하여야 한다.

第5條　(販賣行爲의 禁止)　①特定外來品은 이를 販賣할 수 없다. 但 國內에 居住하는 外國人 또는 國內에 一時入國하는 外國人에게 販賣할 目的으로 閣令이 定하는 바에 따라 商工部長官의 許可를 얻은 者는 例外로 한다.

②前項但書의 規定에 依하여 商工部長官이 許可할 때에는 財務部長官과 協議하여야 한다.

第6條　(罰則)　①前條第1項의 規定에 違反한 者는 10年 이하의 懲役 또는 그 物品의 價格 相當額의 5倍이상 20倍이하에 相當하는 罰金에 處하거나 이를 倂料할 수 있다. 그러나, 犯罪事實이 輕微하여 그 物品의 價格이 2千원 未滿에 相當할 경우에는 拘留에 處한다.

②前項의 경우에 있어서 그 犯人이 販賣하는 物品은 沒收한다.

③第1項本文의 規定에 해당하는 者가 第1審判決前에 特定外來品을 取得한 經緯를 自白한 때에는 그 刑을 減輕할 수 있다.

〈改正 1963·3·12 法1301〉

第7條　(國庫歸屬)　①第5條第1項의 規定에 違反한 者가 逃避하였거나 당해 官署의 出頭要求에 응하지 아니한 경우에 그 物品은 押收한 날로부터 2月을 經過한 때에는 그 物品은 國庫에 歸屬한다.

②第5條第1項의 規定에 違反한 者가 宣告猶豫의 處分을 받거나

公判中 逃避하였을 때에는 卽時 그 物品은 國庫에 歸屬한다.
〈改正 1963·3·12 法1301〉

第8條　(追徵)　第6條의 規定에 依하여 沒收할 物品의 全部 또는 一部를 沒收할 수 없을 때에는 그 沒收할 수 없는 物品의 價格에 相當하는 金額을 追徵한다.

第9條　(物品의 處理)　①이 法의 規定에 依하여 押收된 物品과 沒收 또는 國庫에 歸屬된 物品으로서 腐敗·損傷된 物品에 對하여는 당해 官署의 長이 減却處分할 수 있다.

②前項의 規定에 依한 減却處分을 할 때에는 公開하여야 한다.
〈改正 1963·3·12 法1301〉

第10條　(賞與金給與)　政府는 特定外來品의 販賣犯을 發覺前에 搜査機關에 應報한 者 또는 檢擧한 者에 對하여 그 沒收 또는 國庫에 歸屬된 物品에 對한 檢擧當時 價格의 100分의 30에 相當한 金額을 賞與金으로 給與한다.
〈改正 1963·3·12 法1301〉

第11條　(施行令)　本法施行에 關하여 必要한 事項은 國務院令으로 定한다.

附　則

本法은 公布한 날로부터 施行한다.

附　則　(1961·7·14 法律第657號)

本法은 公布한 날로부터 施行한다.

附　則　(1963·3·12 法律第1301號)

①(施行日)　이 法은 公布한 날로부터 施行한다.

②(經過措置)　第10條의 規定은 이 法 施行後 發覺된 것부터 이를 適用한다.

別表

種別	品 名
第1種	鮮果其他果實類
第2種	코코아, 飲料水, 煙草, 酒類其他嗜好品
第3種	味之素, 香辛料其他調味料
第4種	菓子, 통조림, 魚類, 마가링其他食料品
第5種	穀物과同製品, 布帛과同製品, 나이롱製品, 內衣, 헤어빈, 양말, 젓가림, 서스펜더類, 掌甲, 레인코오트, 編物地와同製品其他纖維類와同製品
第6種	皮革과同製品
第7種	陶磁器, 커피셋트, 유리器具
第8種	고무製靴類, 衛生삭구其他고무製品
第9種	파라핀紙, 카아봉紙, 라이스페에파, 인의안紙, 謄寫紙其他紙類
第10種	貴金屬과同製品
第11種	알미늄器物, 크림, 類似한留金, 門窓, 家具等에 使用하는金具其他金屬類
第12種	印刷用잉크, 光澤와니스, 락카이이스트 其他化工藥品
第13種	撮影用필림, 印畵紙等感光製品
第14種	腦下垂體後葉홀몬, 비오히보도닝, 후구에모오무, 히코릴, 스치부나아루, 비타민, 抗生物質製品, 노오징, 아이후, 이스우르크스, 奇應丸, 시롱, 사론파스, 가오루其他醫藥品

種別	品 名
第15種	繃帶, 絆瘡膏, 脫脂綿其他衛生材料
第16種	化粧品
第17種	冷藏庫, 石油남푸, 自動車와同附屬品, 自轉車와同附屬品, 스탠드類, 레듸오, 扇風機, 텔레비젼, 寫眞機와同附屬品, 錄音機, 懷中電燈, 에아콘디쇼너, 蓄音機와同附屬品, 電球, 洗濯機, 스템트類, 時計와同附屬品 其他各種機械器具와同附屬品 또는部分品
第18種	어어뤼스트칼러, 오일펜실, 萬年筆, 毛筆, 펜촉, 잉크類, 鉛筆其他文房具와事務用品
第19種	圖書類, 레코오드, 작크, 魔法瓶, 빗, 부채, 룩거리, 브로오취, 카후스단추, 판類, 비니루製品, 콤팩타, 라이타돌, 라이타, 눈섭붓, 玩具, 靴塗料, 비누, 帽子, 裝身用品, 革製品, 籐製品, 眼鏡과데, 財布, 化粧匣, 치솔, 遊戱具, 煙草케에스와喫煙用具, 바이오린, 첼로, 하아모니카, 아코듸온其他樂器와同附屬品, 各種단추, 印章用水晶角, 산아, 面刀, 錄音盤, 娛樂器具, 브렁크, 맵, 다리미, 家具類其他前各種에屬하지아니하는雜品

⊙ 特定外來品販賣禁止法第2條第1項의規定에依한物品指定의件 [1961·7·22 閣令第54號]

改正 1961·8·7 閣令第85號
1962·6·12 閣令第803號
1963·5·14 閣令第1296號
1964·9·30 大統領令第1947號
1966·7·28 大統領令第2666號

特定外來品販賣禁止法第2條第1項의規定에依한特定外來品을다음과 같이指定한다

[別表]〈改正 1963·5·14 閣令1296, 1964·9·30 大令1947, 1966·7·28 大令2666〉

種別	品 名
第2種	茶類, 코카콜라, 펩시콜라, 소오다水, 진지에일, 各種쥬우스, 煙草(葉煙草를除外한다), 酒類
第16種	化粧品(크림類, 白粉類, 화운데이숀, 도오랑, 乳液, 美顔水, 입술연지, 빨연지, 아이섀도, 香水, 포마드, 머리기름, 토니크, 養毛劑, 직크, 헤아크림, 로오숀, 美瓜料, 皮膚漂白劑, 洗粉, 化粧비누), 눈섭먹
第19種	庭雀·트럼프

附則
本令은壇紀4291年9月1日부터施行한다

附則 (1961·8·7 閣令第85號)
本令은壇紀4294年9月5日부터施行한다
從前의規定에依하여特定外來品으로指定된物品으로서本令에依하여 그以前에削除된物品에對하여는從前부터指定되지아니한것으로看做 한다

附則 (1962·6·12 閣令第803號)
本令은公布한날로부터施行한다

附則 (1963·5·14 閣令第1296號)
이令은公布한 날로부터 施行한다.

附則 (1964·9·30 大統領令第1947號)
이令은公布한 날로부터 施行한다.

附則 (1966·7·28 大統領令第2666號)
이令은公布한 날로부터 施行한다.

◉特定外來品販賣禁止法第5條第1項但書施行에關한件 [1961·8·31 閣令第121號]

改正 1961·11·21 閣令第259號
1963· 5·22 閣令第1311號

第1條 (目的) 本令은特定外來品販賣禁止法(以下法이라한다)第5條第1項但書의規定에依하여許可및販賣에關한必要한事項을規定함을目的으로한다

第2條 (許可申請書) 法第5條第1項但書의規定에依하여特定外來品의販賣許可를받고자하는者는別表第1號書式에依한特定外來品販賣許可申請書에다음各號의書類를添附하여商工部長官에게申請하여야한다

1. 事業計劃書
2. 販賣하고자하는國産品및外來品目錄表
3. 稅務署長이發行하는營業鑑札과店舖保有및所在地證明書
4. 店舖의位置略圖및圖面
5. 經營者(法人에있어서는代表者)의身元證明書및履歷書
6. 從業員名簿
7. 業態報告書(法人인境遇에는法人登記簿謄本)

第3條 (許可申請者) 前條의規定에依하여許可를申請할수있는者는다음各號의1에該當하는者에限한다

1. 政府에서直營또는指定하는業體

2. 外國人을相對로하는登錄된觀光호텔로서交通部長官이認定하는者

3. 大韓民國의國籍을가진者또는條約에의하여內國民待遇를받는外國人으로서外國人에게特定外來品을販賣함에적당하다고認定되는施設을갖춘者 〈改正 1963·5·22 閣令1311〉

第4條 (許可) 商工部長官이特定外來品販賣許可申請書를接受한때에는그地域의需要量을參酌하여必要하다고認定하는境遇에限하여特定外來品과國産品을같이販賣할것을條件으로財務部長官과協議한後이를許可하여야한다

第5條 (許可申請除外者) 다음各號의1에該當하는者는特定外來品販賣許可申請을할수없다

1. 合名會社의社員, 合資會社의無限責任社員및株式會社와有限會社의理事中에大韓民國國民(條約에의하여內國民待遇를받는外國人을包含한다)이아닌者가있는法人 〈改正 1963·5·22 閣令1311〉

2. 未成年者

3. 公民權을剝奪또는停止當하거나破産宣告를받고復權되지아니한者

4. 禁錮以上의刑을받고그執行이終了되거나執行을받지아니하기로確定된後2年을經過하지아니한者

5. 關稅法과租稅犯處罰法에依하여處罰을받은者

第6條 (登錄) 第4條의規定에依하여商工部長官의許可를받은者는許可를받은날로부터 <u>5月以內</u>에다음各號의事項을所管稅關에登錄하여야한다

1. 許可番號
2. 商號및姓名
3. 第2條各號에該當하는書類의寫本

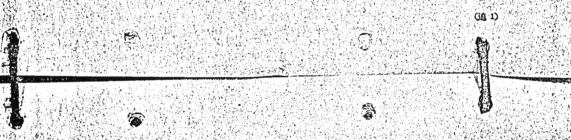

第7條 (販賣物品) ①第4條의規定에依하여許可를받은者가販賣할수있는特定外來品은貿易法에依據하여正當하게輸入된物品에限한다

②特定外來品의販賣許可를받은者(이하 "特定外來品販賣者"라한다)가다른特定外來品販賣業者로부터前項의特定外來品의全部또는一部를讓受하여販賣하고자할때에는商工部長官의承認을얻어야한다 〈新設 1963·5·22 閣令1311〉

第8條 (報告) 特定外來品販賣者는每月의業務狀況을前月分을그翌月10日까지商工部長官과所管稅關長에게報告하여야한다

第9條 (指導와監督) 商工部長官은關係公務員으로하여금特定外來品販賣業者의業務狀況을隨時로指導및監督시킬수있다

第10條 (調査) ①稅關長은特定外來品販賣業者의賣買行爲其他狀況을調査하기爲하여關係公務員으로하여금帳簿其他證憑書類와搬出入物品의數量및經緯等을調査하게할수있으며必要한命令을發할수있다

②前項의調査結果違法行爲를發見하였을때에는稅關長은이를財務部長官에게報告하고財務部長官은이를商工部長官에게通報하여야한다

第11條 (帳簿備置및納稅畢證明書) 第4條의規定에依하여許可를받은者는販賣物品細目其他賣買事項등을明記한別表第2號書式의

帳簿를常時營業場所에備置하여야하며每期마다稅務署長이發行하는納稅畢證明書를商工部長官에게提出하여야한다

第12條 (輸入許可) 特定外來品은第4條의規定에依하여許可를받은者의名義또는그者와契約이있는輸入代行業者의名義로써輸入할수있다. 但, 그輸入量은商工部長官이이를制限할수있다. 〈改正 1963·5·12 閣令1311〉

第13條 (許可停止및取消) 第4條의規定에依하여許可를받은者가다음各號의1에該當하는때에는商工部長官은財務部長官과協議하여特定外來品販賣許可를停止또는取消할수있다

1. 關稅法또는法에違反하였을때
2. 本令에依하여商工部長官이發한命令에違反하였을때
3. 外國人以外의者에게特定外來品을販賣하였을때
4. 第8條의規定에依한報告에虛僞事實이있거나또는第10條의規定에依한調査에不應하거나帳簿記載事項에虛僞가있을때
5. 指定된場所以外에서特定外來品을販賣하였을때

第14條 (外換管理) 本令에依한物品의販賣로取得한外貨는이를外國換管理法의定하는바에依하여處理하여야한다

第15條 (委任) 本令施行에關하여必要한事項은商工部令으로써定한다

附 則

①本令은公布한날로부터施行한다

②本令에依하여販賣許可를받은者가許可前에所有하고있던物品으로서商工部長官이所管하는物品에對하여는第7條의規定에依한輸入物品

附則
①本令은 公布한날로부터 施行한다
附則 (閣令 第1964號)
이令은 公布한날로부터 施行한다
附則 (大統領令 第1955號)
이令은 公布한날로부터 施行한다
附則 (大統領令 第1903號)
이令은 公布한날로부터 施行한다
附則 (大統領令 第2224號)
이令은 公布한날로부터 施行한다

◇貿易去來法施行令 第1條第5項 및 第7條 第1項 施行에 관한 件

(1967年 5月26日 商工部令第185號)
改正 (1967年10月30日 商工部令第196號)

第1條 (定義) ①貿易去來法施行令(이하 "令"이라 한다) 第7條第1項 本文에서 "部令으로 정하는 者"라함은 다음 各號의 1에 해당하는 者로서, 令第1條 第5項의 規定에 의하여 外貨로 外國人에게 國內에서 物品을 買却하는 것만을 業(이하, "輸出入業"이라 한다)으로 하는 許可를 받은 者를 말한다.
1. 外國人이 專用하는 賣店(이하 "外國人專用賣店"이라 한다)을 經營하고자 하는 者
2. 特定外來品販賣禁止法에 의하여 許可를 받아 賣店을 經營하는 者
3. 令第1條第1項 내지 第4項의 規定에 의하여 許可를 받은 輸出入業者(이하 "一般輸出入業者"라 한다)로서 外國人으로 構成된 國體(이하 "外國人團體"라 한다)에 物品을 買却하고자 하는 者
4. 一般輸出入業者로서 貿易去來法(이하 "法"이라 한다) 第3條第3項의 規定에 의한 外國人이 經營하는 商社나 國際聯合軍에 納品을 하거나 對外輸出을 專行하는 商社(이하 "對外輸出專行外國人商社"라 한다)에게 物品을 買却하고자 하는 者
5. 一般輸出入業者로서 外國籍船舶用 또는 外國籍航空機用이나 그 乘務員用의 物品을 당해 船長·機長 또는 乘務員(이하 "乘務員"이라 한다)에게 買却하고자 하는 者
6. 洋服, 食肉, 貴金屬 家具 및 工藝品, 人蔘 및 同製品, 電氣用製品 또는 自動車 및 同附屬品을 買却하는 外國人專用賣店을 經營하고자 하는 者
7. ①特定外來品販賣禁止法에 의하여 許可를 받아 出

入國管理法에 의한 外國人이 專用하는 觀光施設業을 하는 者
②이 令에서 "外國人"이라 함은 外國換管理法의 規定에 의한 外國人인 非居住者와, 同法의 規定에 의한 外國人인 居住者로서 出入國管理法施行令 第7條第1項第4號·第5號 및 第8號에 해당하는 者를 말한다.

第2條 (輸出入業의 許可要件) ①前條第1項 第1號의 規定에 해당하는 者가 輸出入業의 許可를 받고자 할 때에는 다음 各號의 要件을 갖추어야 한다.
1. 賣店의 總面積이 990平方미터 이상이어야 하며 耐火構造建物로서 다른 賣店과 完全遮斷되어 있을 것
2. 132平方미터 이상의 商品貯藏庫가 있을 것
3. 冷溫房施設 및 衛生施設을 完備할 것
4. 許可를 받고자 하는 者가 賣店을 直營할 것
②前條第1項第6號의 規定에 해당하는 洋服을 買却하는 外國人專用賣店을 經營하고자 하는 者가 輸出入業의 許可를 받고자 할 때에는 總面積이 49.5平方미터이상인 店舗가 있어야 한다.
③前項第6號의 規定에 해당하는 貴金屬을 買却하는 外國人專用賣店을 經營하고자 하는 者가 輸出入業의 許可를 받고자 할 때에는 總面積이 16.51平方미터이상인 店舗가 있어야 한다.
④前條第1項第6號의 規定에 해당하는 家具 및 工藝品을 買却하는 外國人 專用賣店을 經營하고자 하는 者가 輸出入業의 許可를 받고자 할 때에는 總面積이 99平方미터이상인 店舗가 있어야 한다.
⑤前條第1項第6號의 規定에 해당하는 人蔘 및 同製品을 買却하는 外國人專用賣店을 經營하고자 하는者가 輸出入業의 許可를 받고자 할 때에는 總面積이 33.0平方미터 以上인 店舗가 있어야 한다.
⑥前條第1項第6號의 規定에 해당하는 電氣用製品을 買却하는 外國人專用賣店을 經營하고자 하는 者가 輸出入業의 許可를 받고자 할 때에는 總面積 49.5平方미터 이상의 店舗가 있어야 하며 電氣事業法의 規定에 의한 電氣用品의 製造免許를 받아야 한다.
⑦前條第1項第6號의 規定에 해당하는 自動車 및 同附屬品을 買却하는 外國人專用賣店을 經營하고자 하는 者가 輸出入業者의 許可를 받고자 할 때에는 自動車工業保護法의 規定에 의한 自動車工業의 許可를 받아야 한다.

第3條 (輸出入業許可申請) ①令 第1條第5項의 規定에 의하여 輸出入業의 許可를 받고자 하는 者는 別紙 第1號書式에 의한 輸出入業許可申請書에 다음 各

號의 書類를 첨부하여 商工部長官에게 제출하여야 한다.

1. 任員(自然人인 경우에는 그 自然人)이 令 第1條 第2項第1號 내지 第3號에 해당하지 아니한다는 市長(서울特別市長·釜山市長 및 大邱市長을 제외한다. 이와 같다) 區廳長·邑長 또는 面長의 身元證明書

2. 任員(自然人인 경우에는 그 自然人)의 身元陳述書 4通(法 第3條 第3項의 規定에 의한 外國人인 경우에는 市長·區廳長·邑長 또는 面長이 發行하는 外國人登錄證明書 1通)

3. 株主 또는 出資者 一覽表(法人에 限한다)

4. 定款(法人에 限한다)

5. 貸借對照表

6. 任員의 履歷書(自然人인 경우에는 그 自然人의 履歷書)

7. 市長·區廳長·邑長 또는 面長이 發行하는 主된 營業所의 所在地證明書

8. 別紙 第2號書式에 의한 業態報告書

9. 賣却하는 物品明細表

10. 輸出事業計劃書

11. (削除)

12. (削除)

13. (削除)

14. 前條第1項 내지 第7項의 規定에 의한 당해 要件을 갖추었음을 證明하는 書類

② 第1條第1項第2號 및 第7號에 해당하는 者가 令 第1條第5項의 規定에 의하여 輸出入業의 許可를 받고자 한 때에는 前項 第1號·第6號 및 第7號의 書類를 一般輸出入業者가 令第1條第5項의 規定에 의하여 輸出入業의 許可를 받고자 한 때에는 前項 第1號 내지 第7號의 書類를 각각 첨부하지 아니할 수 있다.

第4條 (許可證) ① 商工部長官은 令第1條第5項의 規定에 의하여 輸出入業의 許可를 한 때에는 그 申請人에게 別紙 第3號書式에 의한 許可證을 교부하고, 外國換銀行의 長 기타 필요한 機關의 長에게 그 事實을 통보하여야 한다.

② 前項의 規定에 의하여 許可證을 받은 者는 그 記載事項의 全部 또는 一部의 變更이 있는 때에는 別紙 第4號 書式에 의한 申告書에 그 事實을 證明하는 許可證을 첨부하여 商工部長官에게 제출하여야 한다.

③ 前項의 規定에 의한 申告가 있은 때에는 第1項의 規定을 準用한다.

第4條의2 (輸出入의 許可 또는 承認申請) 令 第1條 第5項의 規定에 의하여 輸出入業의 許可를 받은 者

가 輸出 또는 輸入을 하고자 할 때에는 貿易去來法 施行規則 別紙第11號書式 또는 別紙 第12號書式에 의한 申請書 6通에 다음 各號의 書類를 첨부하여 商工部長官 또는 外國換銀行의 長에게 제출하여야 한다.

1. 輸出入計劃書

2. 輸出入實績證明書(最終 輸出 및 輸入許可 또는 承認分에 限한다)

3. 다른 法令에 의하여 許可를 요하는 경우에는 당해許可書

4. 기타 參考書類

第5條 (物品賣却實績의 보고) 令 第1條 第5項의 規定에 의하여 輸出入業의 許可를 받은 者는 別紙 第5號書式에 의한 月間物品賣却報告書에 다음 各號의 書類를 첨부하여 每翌月 10日까지 韓國外換銀行의 長에게 제출하여야 한다.

1. 外國換銀行의 長이 發行한 外國換買入證明書

2. 別紙 第6號書式에 의한 物品購買確認書 또는 別紙 第7號書式에 의한 物品賣却確認書

第6條 (販賣方法) 令 第1條第5項의 規定에 의하여 輸出入業의 許可를 받은 者가 物品을 賣却할 때에는 第1條第1項 各號의 區分에 따라 그 購買者가 外國人·外國人團體·對外輸出專行外國人商社 또는 乘務員임을 確認하고 別紙 第6號書式에 의한 物品購買確認書에 記名捺印 또는 署名을 받아야 하며 그 物品販賣量 및 去來方法등은 購買者의 職業 또는 身分 등에 따라 商工部長官이 따로 定하는 바에 의하여야 한다.

第7條 (帳簿備置) 令 第1條 第5項의 規定에 의하여 輸出入業의 許可를 받은 者는 別紙 第8號書式에 의한 物品賣却臺帳을 常時 事務所 또는 營業場所에 備置하여야 한다. (別紙 書式 省略)

附 則

이 令은 公布하는 날로부터 施行한다.

附 則 (令第196號)

이 令은 公布한 날로부터 施行한다.

◇ 商工部告示 第759號

改正
<table>
<tr><td>1963年 12月 31日 告示第1139號</td></tr>
<tr><td>1964年 9月 28日 告示第1350號</td></tr>
<tr><td>1964年 10月 19日 告示第1433號</td></tr>
<tr><td>1965年 3月 22日 告示第1587號</td></tr>
<tr><td>1965年 6月 7日 告示第1981號</td></tr>
<tr><td>1965年 11月 4日 告示第2269號</td></tr>
<tr><td>1967年 11月 6日 告示第3372號</td></tr>
</table>

輸出金融延滯業者에 對한 特別措置
1963年 3月 13日

— 34 —

기록물종류	문서-일반공문서철	등록번호	26224 4351	등록일자	2006-09-26
분류번호	729.42	국가코드		주제	
문서철명	SOFA-주한미군 비세출자금기관 이용제한 조치, 1971				
생산과	북미2과	생산년도	1971 - 1971	보존기간	영구
담당과(그룹)	선택			서가번호	--
참조분류					
권차명					
내용목차					

마/이/크/로/필/름/사/항

촬영연도	★롤 번호	화일 번호	후레임 번호	보관함 번호
2007-10-01	Re-07-12	9	28	

EA Reg 230-11

DEPARTMENT OF THE ARMY
HEADQUARTERS, EIGHTH UNITED STATES ARMY
APO San Francisco 96301

314th AD Reg 176-4

DEPARTMENT OF THE AIR FORCE
HEADQUARTERS, 314th AIR DIVISION
APO San Francisco 96570

3 March 1971

NONAPPROPRIATED FUNDS AND RELATED ACTIVITIES
Alcoholic Beverage Activities

1. **Purpose.** This regulation prescribes policies and procedures governing the procurement, distribution, sale, and consumption of alcoholic beverages and beer in Korea.

2. **Applicability.** The provisions of this regulation apply to all non-appropriated fund organizations within this command that procure, distribute, or sell alcoholic beverages or beer, and their employees, members, and other patrons.

3. **Responsibilities.** a. Commanders will insure that the provisions of this regulation are disseminated throughout their commands and that coverage is included in the initial orientation of all newly assigned personnel. Privileges of violators will be withdrawn and other appropriate disciplinary action taken. Commanders will encourage abstinence, counsel moderation, discourage overindulgence and, when the local situation warrants, impose additional restrictions and controls.

   b. Major subordinate commanders will conduct periodic surveys to determine if there is a valid need for each bulk sales outlet and, if possible, reduce such outlets to a maximum of two per installation. Determinations should be based on population patronage and not on convenience alone.

   c. Commanders should insure that bar facilities alone are not emphasized in open messes and are not the principal attraction of the mess. Command emphasis should be placed on establishing and maintaining an attractive and wholesome atmosphere in all open messes.

   d. Approval of commanders is required to establish a new account with the Eighth Army/314th Air Division Central Locker Fund. Approved requests of this nature will be forwarded to the Eighth Army/314th Air Division Central Locker Fund through this headquarters, ATTN: EAGP- AF.

---

*This regulation supersedes EA Reg 230-9, 5 Mar 69.

4. <u>Definitions</u>. For the purpose of this regulation, the following definitions apply:

    a. Adult. A person who is 21 years of age or older.

    b. Alcoholic beverages. Any intoxicating beverage including distilled spirits, wines, and malt beverages, having an alcoholic content of over 3.2% by weight.

    c. Beer. All malt beverages with an alcoholic content of 3.2% or less by weight.

    d. Liquor. Beverages having an alcoholic content of 20% or more by weight.

    e. Wine. Fermented non-malt beverages with an alcoholic content of less than 20% by weight.

    f. Malt liquor. Malt beverages having an alcoholic content greater than beer.

    g. Quart. 32-ounces of alcoholic beverage.

    h. Nonstandard bottles. Liquor or wine containers of smaller volume than mentioned in g, above, i.e., miniatures or splits.

    i. Eighth Army/314th Air Division Central Locker Fund. A revenue producing non-appropriated fund instrument of the US Government, organized under the provisions of AR 230-1, and AFR's 34-57 and 176-1. Its' primary mission is to provide authorized activities with alcoholic beverages at a reasonable price.

    j. Far East Locker Fund. A non-appropriated fund instrument of the US Government operated by joint agreement between the Eighth Army, US Army Japan and the Fifth Air Force. It is the sole agency authorized to procure and distribute alcoholic beverages for use by the Army and Air Forces in Korea, Japan, and other areas serviced by the fund. The fund is also authorized to procure nonalcoholic beverages and mixes not available through exchange channels. The fund is administered by a board of directors whose actions and recommendations are subject to the approval of the Commanding General, US Army Japan. US Forces Korea representation on the board will consist of the ACofS, G1, the ACofS, Comptroller, and the President of the Eighth Army/314th Air Division Central Locker Fund.

2

5. <u>Administration of the Central Locker Fund.</u> a. The Eighth Army/
314th Air Division Central Locker Fund will be administered by an
Advisory Council in accordance with the constitution and bylaws of
the fund, and other pertinent directives. Actions of the Advisory
Council will be subject to approval by the ACofS, G1, Eighth Army.

b. The fund will be managed by a custodian/manager recommended
by the Advisory Council and appointed on orders by the Commanding
General, Eighth Army. The name and grade of the custodian/manager
will be reported to the Manager, Far East Locker Fund, APO 96503.

c. Members of the Advisory Council will be the personnel staff
officers responsible for the operation of open messes in each major
subordinate command and will be appointed by the respective commanders,
who will forward a copy of the order appointing the member and an
alternate member to the Custodian/Manager, Eighth Army/314th Air
Division Central Locker Fund, APO 96301. The Advisory Council will be
composed of field grade officers. The senior Headquarters, Eighth Army
member will be a colonel and will be designated president. Representa-
tion on the Advisory Council will consist of two officers from Head-
quarters, Eighth Army and one each from I Corps, 2nd Infantry Division,
Korea Support Command (Provisional), 314th Air Division, 4th Missile
Command (AT), and US Army Garrison, Yongsan (Provisional). Selected
open mess custodians may serve as advisors to the member and may submit
recommendations through the member, however, the custodians will have no
vote.

d. In order to purchase liquors from the Central Locker Fund,
custodians of open messes are required to submit two copies of DD Form
577 (Signature Card) to the Custodian/Manager, Eighth Army/314th Air
Division Central Locker Fund, APO 96301.

6. <u>Basic policies.</u> a. The Eighth Army/314th Air Division Central
Locker Fund is the sole agency of the command authorized to procure
and distribute alcoholic beverages. Sales will be made only to open
mess systems and other funds recommended by the Advisory Council,
Eighth Army/314th Air Division Central Locker Fund, and approved by
the Commanding General, Eighth Army, ATTN: EAGP-AF.

b. Open Messes which procure directly from the Eighth Army/314th
Air Division Central Locker Fund and further distribute to other open
messes may establish a markup not to exceed actual handling costs.

c. In order to generate additional Army and Air Force command
welfare funds and to permit outlets to achieve operating profit goals,
markups on acquisition costs of alcoholic beverages will be as
established by respective component commanders and as directed by
pertinent service regulations.

3

4

7. <u>Procurement and transportation</u>. a. The Custodian/Manager, Eighth Army/314th Air Division Central Locker Fund, will submit orders to the Manager, Far East Locker Fund. Payment will be by check, payable to the Custodian, Far East Locker Fund.

b. Open Messes.

(1) Custodians of open messes will submit regular orders to the Custodian/Manager, Eighth Army/314th Air Division Central Locker Fund. Payment for such purchases will be made by check, payable to the Eighth Army/314th Air Division Central Locker Fund within 7 days after receipt of merchandise. Purchases by open messes, when necessary, may be made from other open messes when such transactions are agreed to by both organizations.

(2) Custodians of open mess systems are responsible for the beverages as soon as receipt for the same has been acknowledged.

(3) Special orders will be approved and signed by the Staff Officer responsible for the operation of Open Messes.

c. Requisitioning of excess inventories. Excess inventories on hand in open messes may be transferred between other authorized non-appropriated fund activities.

8. <u>Pricing</u>. a. Bar prices will be recommended by the Advisory Council and approved by the G1/DCSPER for Army and Local Commander for Air Force or his appointed representative of each command operating an open mess system.

b. Wholesale and retail prices for all alcoholic beverages sold through bulk sales outlets will be approved by the Advisory Council, Eighth Army/314th Air Division Central Locker Fund, and recorded in the minutes of the Board of Governors meeting. The markups established are as prescribed in paragraph 6c, above.

c. The Custodian/Manager of the Eighth Army/314th Air Division Central Locker Fund, or his representative, will make periodic visits to open mess activities to assist and advise those responsible for the operation of such activities.

d. The Advisory Council of each open mess system may recommend and the G1/DCSPER or his appointed representative of each command operating an open mess system for Army and Local Commander for Air Foce, may approve a markup on beverages sold for on-premise consumption to generate funds for operational requirements of open mess system.

5

4

9. Sales to individuals. a. The following categories of adults may purchase alcoholic beverages from retail outlets:

(1) All adult US military personnel and adult personnel of friendly forces authorized the use of MPC.

(2) All retired US military personnel.

(3) Adult reserve US military personnel, when performing active duty training.

(4) DOD civilian employees and other civilian personnel authorized Military Payment Certificates (MPC) and exchange privileges under the provisions of EA Reg 700-10.

(5) Adult dependents using their sponsor's ration book (EA Form 951) when their name and signature are shown on the inside of the rear cover. Under no circumstances may dependents make purchases with EA Form 950.

b. Rationing. Individual rations will be as follows:

(1) Active duty military in grades O-6 and above and authorized US civilians in grades GS-15 and above are exempted from rationing.

(2) Personnel without adult dependents in the command: Five quarts/fifths of liquor for each month of the year.

(3) Personnel with adult dependents in the command: Ten quarts/ fifths of liquor for each month of the year.

(4) Authorized personnel in Korea on TDY or leave for periods of less than one month will be allowed to purchase a normal one month ration of five quarts/fifths of liquor. Such purchases will be recorded on a copy of the individual's TDY or leave orders and will be signed by the individual. The orders will remain in the bulk sales outlet and be attached to the sales record in lieu of ration stamp. Personnel in the command for periods of one month or longer may request ration books and purchase the regular ration allowed for the period that they are in Korea.

(5) Commanding Officers may authorize purchases of liquor above the rations outlined in (1), (2), and (3), above, for valid social purposes. The individual desiring to make the purchase will submit a letter listing items desired and number of persons to attend the function. Approval of the letter will be made by a field grade officer designated by the commander and the approved letter will be attached to the sales record in lieu of ration stamps.

(6) Beer sales in bulk sales stores will be limited to 24 bottles/ cans per person, per day. All beer sales will be recorded on a sales register sheet with each line prenumbered. The purchaser's name, grade, service number, organization and the brand, quantity and price of each purchase will be entered on this form.

(7) Malt liquor is rationed in the same manner as beer. Sales will be made only to persons who are authorized to purchase liquor and who present a valid ration book. Purchases will not exceed one case at a time.

10. <u>Control procedures</u>. a. Ration books.

(1) Ration books will be issued on request to authorized adults. Issuing officers will use EA Form 943 (Register of Exchange and Beverage Ration Books) for this purpose. Entries will show the ration book number, the name and signature of each recipient and the date of issue. Unaccompanied personnel will be issued EA Form 950 (Beverage Ration Book for Personnel without Dependents in the Theater) and personnel with adult dependents in the command, EA Form 951 (Beverage Ration Book for Personnel with Dependents in the Theater). Ration books will be issued only to sponsors, regardless of the status of their adult dependents. Dependents, to include dependents of personnel serving in Southeast Asia, will not be issued ration books under any circumstances.

(2) Turn-in of ration books. Individuals departing the command will turn in ration books to the issuing authority as part of their clearance processing.

(3) Lost ration books. Individuals losing ration books will report the loss to the issuing authority.

(4) Ration books will not be loaned, transferred, sold, bartered, or placed in pawn.

(5) Supply of ration books.

(a) Major subordinate commanders will submit requirements for beverage ration books to CG, KORSCOM (Prov), ATTN: SUPPT #23, not later than 1 September each year for the ration period commencing 1 January.

(b) The cost of printing ration books will be covered by appropriated funds.

b. Decalcomania.

(1) To strengthen existing alcoholic beverage controls, each bottle of alcoholic beverage except miniatures, splits and tenths

6

handled by all Army open messes and/or clubs, with the exception of malt beverages, will have affixed thereto an Army open mess decalcomania.

(2) Decalcomania will be procured only from the Eighth Army Central Mess Fund.

(3) Decalcomania may not be transferred from the open mess or club to which sold.

(4) Decalcomania will be stored at all times in a three combination safe, or its equivalent, until affixed to an alcoholic beverage bottle stored in a locked warehouse or storeroom.

(5) One decalcomania, serially numbered, will be affixed to each bottle immediately upon receipt of alcoholic beverages delivered by the Eighth Army/314th Air Division Central Locker Fund.

(6) Army open messes and/or clubs will maintain a record of all decalcomania procured, from the Eighth Army/314th Air Division Central Locker Fund, and issued on controlled prenumbered forms. Records maintained will include, as a minimum, information regarding quantities, serial numbers, and monetary value. At the close of each calendar month, the total number of all unused decals will be reconciled with the beginning of the month on-hand amount and issues made during the month as to quantity, serial numbers and monetary values. Any discrepancies discovered will be reported immediately to the installation commander and, through channels, to headquarters, Eighth US Army, ACofS, G-1, ATTN: EAGP-AF. An investigation will be initiated to determine the reasons for such discrepancies. Copies of investigative reports will be furnished the above headquarters.

(7) Army open messes and/or clubs will maintain records, on prenumbered forms, of all decalcomania destroyed on bottles emptied and destroyed as a result of over-the-bar sales. Daily reports of such destruction will be rendered by open mess and/or club branches and annexes. These daily reports will be compiled as a monthly report to be maintained as permanent records.

c. Bulk Sales stores.

(1) Sales clerks will identify each purchaser by comparing ration books with the individual's identification card.

(2) All sales will be entered on a sales register sheet with each line prenumbered. Sales clerks will legibly record the name, grade, service number, and organization of the purchaser and the brand, quantity and price of each purchase and, the complete serial number of the decalcomania affixed to each bottle of alcoholic beverage sold.

7

(3) Sales clerks will detach one coupon from ration books for each quart of liquor sold. Two coupons for each half-gallon. Detached coupons will be glued to the reverse of sales register sheet to cover each transaction. Each bottle label will be marked in permanent ink with the identity of the sales outlet. Clerks will not accept loose coupons.

(4) Sales authorized as supplemental rations for social purposes or for personnel in the command for less than one month TDY will be documented as follows:

(a) Supplemental rations. Statement covering approval and items purchased, signed by purchaser.

(b) TDY. Copy of official TDY orders.

(5) Stocks of foreign alcoholic beverages for bulk sales will be ordered separately and stored segregated from stock intended for bar sales. Foreign alcoholic beverages will be entered on separate stock record cards. All bottles of alcoholic beverages to be sold in bulk sales outlets will be marked "Bulk" in permanent ink on the label prior to being issued to bulk sales outlets. Any transfers between bar and bulk stocks will be reported by brand to the Central Locker Fund in writing to control credits and debits.

11. Prohibitions. a. All purchases are for the personal use of the individual purchaser and will not be sold, bartered, or given to others. This does not prohibit the purchaser from serving drinks as a host.

b. The sale or use of alcoholic beverages or beer will not be advertised or emphasized unless specifically authorized by the Commanding General, Eighth Army.

c. Credit chit books or tokens will not be used to purchase any item on sale in bulk sales.

d. The introduction, possession, or use of alcoholic beverages in facilities and barracks other then BOQ, BWQ, or enlisted quarters is prohibited. Introduction, possession, or use in BOQ, BWQ, or enlisted quarters will conform with the policy of the commander of the facility in which they are located.

e. Alcoholic beverages or beer will not be used or openly displayed in military ports, Army airfields, aircraft, trains, vehicles, or railroad stations.

f. Individuals under 21 years of age will not:

8

(1) Introduce, possess, use, or purchase alcoholic beverages in any form.

(2) Be employed in any capacity to sell, handle, dispense, or serve alcoholic beverages.

g. Individuals 18 years of age or older, but under 21, may purchase beer only.

h. No purchase of any type may be made by high school student dependents regardless of age.

i. Empty alcoholic beverage bottles will be broken prior to disposal as trash, to preclude further use, and the decalcomania number affixed to each destroyed bottle will be recorded and kept as permanent records of the activity.

j. Informal lounges, serving alcoholic beverages, are prohibited. Commanders will not approve purchases of alcoholic beverages, beer, or soft drinks to stock such lounges.

12. Promotional activities. Promotional activities by firms or salesmen to advertise alcoholic beverages will be controlled. All such promotional activities require the written approval of this headquarters.

13. Reports and inventory procedures. a. Reports. Custodians of open mess systems will submit a monthly Inventory of Alcoholic Beverages using a specific form provided by the Central Locker Fund, directly to the Custodian/Manager, Eighth Army/314th Air Division Central Locker Fund. This report, to include stock on hand in all branches and warehouses, should be submitted not later than the 10th calendar day of the month following the reporting period.

b. Inventories. Proper inventory management of alcoholic beverages requires custodians' strict adherence to the procedures outlined in Inclosures 1 and 2 concerning the maintenance of a 45-day stock level and controlled standard ordering procedures.

14. References. a. AR 230-1 (Non-appropriated Funds and Related Activities - Nonappropriated Funds and Related Activities).

b. AR 230-4 (Non-appropriated Funds and Related Activities - International Balance of Payment Program).

c. USARPAC Reg 230-60 (Non-appropriated Funds and Related Activities - Open Messes and Other Non-appropriated Sundry Associations and Funds).

9

d. EA Reg 230-61 (Non-appropriated Funds and Related Activities - Officers' and Noncommissioned Officers' Open Messes and Similar Funds).

e. EA Reg 700-10 (Logistics - Support of Miscellaneous US Nonmilitary, Nongovernmental, and Non-US Agencies and Individuals in Republic of Korea).

f. AF Reg 35-57 (Personnel Services - The Control of Alcoholic Beverages: Their procurement, Sale, and Use).

g. AF Reg 176-1 (Nonappropriated Funds - Base Responsibilities, Policies and Practices).

h. AF Reg 176-2 (Nonappropriated Funds - Basic - Military Welfare Funds).

Supplementation by subordinate commands is not authorized without prior approval of Eighth Army, ATTN: EAGP-AF.

The proponent agency of this regulation is the Assistant Chief of Staff, G1. Users are invited to send comments and suggested improvements on DA Form 2028 (Recommended Changes to Publications) to the ACofS, G1 ATTN: EAGP-AF, Eighth Army, APO 96301.

FOR THE COMMANDER:

OFFICIAL:

WILLIAM H. BLAKEFIELD
Major General, GS
Chief of Staff

ROBERT W. MALOY
Major General, USAF
Commander

10

3 Incl
1. Average Sales for Each Brand (Sample)
2. Operating Level and Ordering Formula
3. Quarterly Inventory of Alcoholic
     Beverages Report (Format)

DISTRIBUTION:
A and H (Less CINCUSARPAC)
 50 - G1
200 - CG, KORSCOM (PROV), SUPPT #23
 50 - 314th AD PDO 5294A, APO 96570
  1 - AG-AO

12

11

AVERAGE SALES FOR EACH BRAND
(SAMPLE)

12-MONTH SALES PERIOD (CASES) — YEAR _____

(1) STOCK NO	(2) BRAND	(3) JAN	(4) FEB	(5) MAR	(6) APR	(7) MAY	(8) JUN	(9) JUL	(10) AUG	(11) SEPT	(12) OCT	(13) NOV	(14) DEC	(15) TOTAL	(16) AVERAGE
1140	Hiram Walker Brandy	11	10	9	9	8	6	6	8	8	10	10	13	108	9
1566	Schenley Gin	25	21	23	23	20	25	25	19	20	20	19	24	264	22
3246	Maraca Gold Rum	16	16	14	13	13	18	15	12	12	16	18	17	180	15
4311	Ten High	66	65	69	69	55	45	48	63	68	65	66	149	828	69
4621	Canadian Club	15	14	15	15	13	12	12	11	13	13	14	21	168	14
*	*	*	*	*	*	*	*	*	*	*	*	*	*	*	*
*	*	*	*	*	*	*	*	*	*	*	*	*	*	*	*
*	*	*	*	*	*	*	*	*	*	*	*	*	*	*	*
*	*	*	*	*	*	*	*	*	*	*	*	*	*	*	*
TOTAL		133	126	130	129	109	106	106	113	121	124	127	224	1,548	129

Average, Column (16), is computed by dividing totals in column (15) by number of months in the sales period (in this example = 12).

12-month sales period will be used in computing average sales.

Inclosure 1

OPERATING LEVEL

Operating Level = Average Sales x 1.5 month or 45-day level. Adjust
Operating Level accordingly to authorized stockage level.

ORDERING FORMULA

(4)	(5)	(6)	(7)

Operating Level + Averages Sales - On Hand = Order

NOTE: The above formula is for ordering once a month.
       Ordering two times a month, divide averages sales by 2.
       Ordering three times a month, divide average sales by 3.
       Use the worksheet below for ordering guide.

(1)	Worksheet - Order (2)	(3)	(4)	DATE: (5)	(6)	ORDER: (7)	(8)
Stock Nr.	Brand	Price	Operating Level	Average Sales	On Hand	(4)+(5)-(6) Case	Amount
1140	Hiram Walker Brandy	13.76	14	9	10	13	178.88
1566	Schenley Gin	7.88	33	22	60	0	0
3246	Maraca Gold Rum	11.19	23	15	32	6	67.14
4311	Ten High	12.80	104	69	75	98	1,254.40
4621	Canadian Club	39.80	21	14	41	0	0
							1,500.42

Stock numbers and brands should be listed in the same sequence as the whole-
sale price list.

The custodian should base his forecast for expected higher sale on past exper-
ience factors.

14

Inclosure 2

(FORMAT)

7th INFANTRY DIVISION NCO OPEN MESS (A-CSU-78)

MONTHLY INVENTORY OF ALCOHOLIC BEVERAGES REPORT

INVENTORY DATE: _____

CATEGORY/BRAND (1)	WAREHOUSE (CASES) (2)	CLUB (CASES) (3)	TOTAL CASES (4)	AVG NR SALES (12 MO) (5)	45-DAY LEVEL (6)	OVER OR (SHORT) (7)	REMARKS (8)	TOTAL BULK SALES (9)
BITTERS:								
Angostura 24/8oz (Trinidad)								
Angostura 96/2oz (Trinidad)								
BRANDY:								
Castillon 3 Barrell (France)								
Christian Brothers								
Coronet VSQ								
Heublein Huguenot								
Hiram Walker								
Italian Swiss Colony Lejon								
Jacquin's Five Star								
Paul Masson Deluxe								
COGNAC: (France)								
Armagnac Cavalier								

Inclosure 3

PPC-Japan

과제 위촉 요지 (P.X. 관계)

문 제 점 : P.X. 물품의 수입량이 P.X.
이용권자의 수에 비하여 과다히
수입되고 있으므로 시중에 유출
되고 있음.

과제내용 : P.X. 물품의 합리적인 수량
수입이 요망.

16

7 April 1971

MEMORANDUM FOR: Chairman, Finance Subcommittee

SUBJECT: Interpretation of reasonable quantity of
goods under Agreed Minute Paragraph 1,
Article IX

1. Agreed Minute to Article IX, paragraph 1, provide
that the quantity of goods imported by NAFO for the
use of authorized persons shall be limited to the extent
reasonably required for such use.

2. Despite the massive efforts on the part of the ROK
Government to eliminate the illegal transactions of
contraband goods, black market activities on those
commodities still persist and the cause has, sometimes,
been attributed, in part, to the excessive importation
of such goods by the NAFO of USFK.

3. It is requested, therefore, that the current
situation be reviewed by the Subcommittee and recom-
mendations be presented to the Joint Committee on the
limitation of the quantity of goods to the reasonably
required extent, if the result of the review so indicates.

ROBERT N. SMITH   CHOONG WHAY KOO
Lieutenant General   Republic of Korea
United States Air Force   Representative
United States Representative

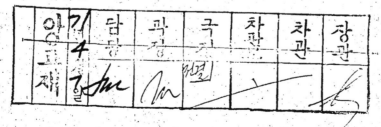

AGENDA ITEM III. ROK PRESENTATION

Agreed Minute 1 of Article IX of SOFA provides that the quantity of goods imported by NAFO of USFK "shall be limited to the extent reasonably required for such use." ~~By & and~~ *Meanwhile it was agreed at ~~that~~ the 9th Joint Committee meeting that the sample check of mutually consist of no more than 5% of the incoming bags/containers of non-official Kimpo would parcel mail.* Despite the strenuous efforts made by the ROK *however, it* Government, in cooperation of the USFK, to eliminate the illegal transactions of contraband goods, black market activities on those commodities still persist and the cause has been attributed, in part, to the excessive importation of such goods by the NAFO of USFK, *i to the small part of the sample check to the incoming parcels.* No effort has even been made to spell out what actually constitute a reasonable quantity of such goods. *+ It has been much appreciated that.*

The ROK Representative would like to propose that the Joint Committee approves the assignment of this task to the Finance Subcommittee to work out an adequate interpretation of the provision cited above.

18

<u>과제 위촉 요지</u> (APO   관계)

문제점 1 :   현행 규정에 의거, 비공용 소포 량이 5 %
　　　　　　　이내의 범위내에서 개장 검사를 실시
　　　　　　　하고 있으나 검사 수량의 과소로 실효를
　　　　　　　거우지 못하고 있음.

과제내용 :   <u>5 % 이내로</u> 제한되어 있는 검사량을
　　　　　　　합리적인 량으로 개정함이 요 망됨.

문제점 2 :   금수품의 합리, 불합리한 수량의 결정이
　　　　　　　미군 관계관에 일방적으로 일임되어
　　　　　　　있으므로 한국 세관으로서는 수입 경위
　　　　　　　및 범칙혐의 등이 있더라도 이에 대한
　　　　　　　조사가 불 가능함.

과제내용 :   금수품의 합리, 불합리한 수량의 결정은
　　　　　　　적어도 한.미 양측의 관계관에 의하여
　　　　　　　신속히 결정하도록 관계 규정의 개정이
　　　　　　　요 망됨.

1P

JOINT COMMITTEE
UNDER
THE REPUBLIC OF KOREA AND THE UNITED STATES
STATUS OF FORCES AGREEMENT

7 April 1971

MEMORANDUM FOR: Chairman, Finance Subcommittee

SUBJECT: Procedures relating to customs examination of US military parcel post packages with regard to Article IX, Agreed Understandings, Subparagraph 1 through 4

1. (a) It was mutually agreed at the 9th Joint Committee meeting that the "sample check" at Kimpo would consist of no more than 5% of the incoming bags/containings of non-official parcel mail and that any parcels containing prohibited items and discovered by the authorities of the Republic of Korea be held in United States custody until their disposition is mutually determined by appropriate Republic of Korea and United States authorities.

(b) It was also agreed at the 9th Joint Committee meeting that the determination as to what constitutes a reasonable/unreasonable quantity of the parcels rests with the United States officials.

2. (a) Republic of Korea authorities concerned pointed out that 5% of the "sample check" at Kimpo is not sufficient to prevent irregularties connected with the US military postal systems, particularly in the cases where the parcels are coming from Japan and South East Asia.

(b) Since the determination referred to in 1(b) above is soly made by US authorities, it is difficult for the ROK customs authorities to carry out necessary investigations when some of parcels are suspected of violating the customs laws of Republic of Korea.

3. It is requested, therefore, that the agreement at the 9th Joint Committee meeting be reviewed in

언무과제	7월4결일	담당	과장	국지 진결	차보	차관	장관

the Subcommittee, and recommendations be presented
to the Joint Committee on the changes of procedures
relating to the customs investigations.

ROBERT N. SMITH   CHOONG WHAY KOO
Lieutenant General   Republic of Korea
United States Air Force   Representative
United States Representative

50萬원誘惑 물리친 巡警

노량진警察署 沈載栄씨 양담배 流出적발…護送가장 檢問所에

◇해야할일을 했을뿐이라고 말하는
심재영 (沈載栄) 순경.

…일선파출소당진경찰서파출소 이 50만원의 유혹을 물리치
과심재영 (沈載栄·34) 순경 고 도박을 잡았다.

심순경은 이날새벽 1시 부들의 봉태에 위협을느낀 약 4㎞떨어진 이수파 검문 원의
30분쯤 서울 영등포구 서 심순경은 이에 응하는척, 소로 유인, 동료경찰관의 밝혀지지않았는데 인
초동6684 삼영화약앞의 숲 「안전하도록 호송해 주겠 도움으로 검거했다. 군수물자마틱이 있다
속에, 군수물자마틱의 신고를받 다」면서 프레일러에 유탑 신고한 택시운전사는 신 눈치챘다고 한다.
고는, 택시운전사의 신고를받
다. 최연용 (崔連鎔·
44·용산구 보광동432의
1)씨등 4명의 인부20여
명을 동원하여, 원미도 미
군PX로 군수물자를 수송
중이면 한진상사소속 경기영
9-1066호 트레일러 (운
전사 金永斗·43)에서 양
탑배 30상자 (싯가 1천8
백만원)를 빼내고있는것을
발견했다.

최씨등은 심순경에게 5
백만원다발 열룬치탑 주면서
눈감아줄것을 요구했다. 인

高價耐久商品의 不法流出을 防止를 위한 韓美合同檢査班의 設置 및 運營規程(案)

本方	美側 家族店 代案	備考
1.(目的) 가. 보급품은 고가세구품의 안거래를 방지케 위하 정확한 통제개를 재해청으로써 주간미군지원사령과 한미 행정이 규정을 준수함에 그 목적이 있다. 나. 보급품 통관 양측의 협조를	同	
(설명?) 2고에 의한 긴설경세법방에 의하여 법받품은 사지에 발생세법에 통관 있다. 다. 보급품에 의한 제반 관세법세도 대한민국 당국의 당국이 의한 서면 요청하는 대해 도게 아니한다.		SOFA 제 9조 제5항 비과세는 다음의 경우에는 적용되지 아니한다. (가) 한민국에 이 물품이 대한민국에 인도 하여서 대한민국으로부터 한국급부의 구매의
2.(定義) 가. "고사품" : 가가 25불이상의 물품 및 통제하에 동가 통제품목인 것 나. "종규리" : 정부명령 또는 해리근간 명령에 따라 대한미국에서 근무하는 모든 SOFA 대상자 다. "경사반" : 세관근간 마늘기로	가. "고사품" : 가가 25불이상의 물품 및 통제하에 동가 통제품목인 것	
3.(情報提供) 가. 주간미군당국은 출입할 세의 행입사상자의 제반사상에 제공한다		

当方 義務者 等	美側 義務者・代案	備 考
동맹국에는 대한과 같은 사항을 기재하여야 한다. (1) 품목내역명 (2) 화물표시사항(가세표명 별도송달) 나. 또한 해당국과 대한민국의 도착항 이외 지역, 구매회사나 또는 양수에 의해 전소 품목을 기재한 해당금을 입항표로 등록함 동맹의 제공권에 대해 이에는 미군파파로 (APO) 또는 배급매점(PX)을 통하여 제공한 가구, 기재, 케인물품 및 모든 케인물품으로 포함한다	(1) 기재한 인원의 품목 예감함	APO 화물의 경사사지 (마른 안) 미군으로도 APO 화물의 건조 세관검사는 미우편법과 근로자에 의해, 여기나 화물부서류의 개정검사, 시간 가외검사는 미군규정에 의도가 있으므로 있다. APO 화물검사는 동맹하여 제도의 항공을 요망하리라 한 혐
기교원에야 한다. 이에는 마른케린 (PX)을 통해 케드란 가구, 가재, 케인 물품도 보도 경사물품, 즉 부세공제를 하이통로(LOA) 이나 동매분량도 포함있다		
	마. 케규별 수휴물분 연연어허한다 경품에라링	
4.(輸入品 搬出 関係) 가. 미군파라들(APO) 군해생긴혀 (MSTS), 군해유관부(MAC), 건부 서류(MAC), 군해유관부(MAC), 경부 서류(GB1)및 (LOA) 간으량	가. 국군해생송부(MSTS), 군해 서류(MAC), 군에싱긴릉구(GB)및 동으로 귀당한	미군병으로 이허배 로그 뭐도 왏구도에서나 케트를 뭐요 미 우편법과 (1) 대륙미호생장등의 마저보 부분에 관한 중 케우형삼사에도 또한 동의, 업무 케로당로 케임을 가도 하는 것 (2) 화물유량은 더 검부에나 인건도 위
게임용으로 귀당한 동매품도 에이팜은 또는 게이핑당도 등으로 귀당되기 때문에 마건하여라 게이핑당도(게와송사) 이아정긴 마건송하하여 비송보에라렁		(3) 수륙화정구나 나우권에서 케도하는 점

<table>
<tr><td></td><td colspan="3">注：</td></tr>
<tr><td></td><td>수륙아화물용</td><td>74</td><td>3,119</td></tr>
<tr><td></td><td>별도송</td><td>1,494</td><td>2,5~8</td></tr>
<tr><td></td><td>05(→)</td><td></td><td>957</td></tr>
</table>

当庁 実務者 案	美側 実務者 代案	備 考
나. 그 자체가 불합리한 수량의 검사품목으로 인정되는 수리화물은 양측의 처리합의가 있을 때 까지 세관이 관리하게 둔다. 합리, 불합리의 결정은 수하주의 사영, 가족상황, 수량범위, 기타 적절하다고 사료되는 점을 고려하여 미국당국이 결정한다. 특정품목에 대한 합리적 기준 건의 량을 별첨 1과 같이 한다.	…미국당국의 관리하에 둔다	
5. (輸出品 検査節次)	同	
가. 검사반은 출국 행령대상자의 포장 상황을 충분히 검사할 수 있는 의칭장소에 국게한다. 검사 행위에는 검사품목의 포장및 적재확인을 포함한다.		
나. 출국자에게는 대한민국에 있을시 처분한 모든 검사품목의 처분 증방서류을 검사반에 제출도록 통지한다. 본 증방서류란 수입면장, 양도서, 분실증명서등을 말하며 검사반이 인정할 수 있는 것임을 요한다.		
다. 이상이 없으면 한미검사반원은 공동으로 수출화물에 봉인하여 출국케 한다.		
라. 이상이 있을시 개인화물의 포장은 상호간의에 의해 문제된 품목의 처리결정이 있을 때까지 연기된다. 처리결정이 나지 않을 때는 상호합의에 의해 수사에 착수하며		

備　考	美側 修正案 代案	當方 實務者 案

6. (協定發効)

7. (効力發生)

美軍PX TV등 4천만원어치

購買書 위조 빼팔아

싯가 3천8백40만원어치를 빼내 팔아왔다는 것이다

落島기동흥보다

지배인등 2명 拘束

관세청은 19일 미군PX로부터 「텔리비전」 「에어컨」 병장고 등을 시중에 내다 판 인팔아온 金浦공항 PX지배인 宋养父씨(31)·新堂洞 2배 3의 6의 판매원 李聖씨(3755)와 永登浦區上道洞 1번 李씨 9의 3·鎭路區樓上洞 1번 劉鍾杰씨 6의 6 (40·鎭路區樓上洞) 40 등을 지명수배했다.

관세청에 따르면 이들은 미군들이 사용하는 구매승인서 이들온미 군조, 지난 5월 29일부터 12차에 위조, 지난 6월 22일까지 서울·金浦공항 미군PX로부터 「에어컨」 49대, 냉장고 28대를 「텔리비전」 69대, 비전」 등을 걸쳐

		정/리/보/존/문/서/목/록			

기록물종류	문서-일반공문서철	등록번호	38616	등록일자	2011-10-24
분류번호	729.41	국가코드		주제	
문서철명	SOFA 발효 제13주년 기념행사, 1980.2.20				
생산과	안보담당관실	생산년도	1980 - 1980	보존기간	영구
담당과(그룹)	미주	안보	서가번호	--	
참조분류					
권차명					
내용목차	* 사진 있음				

마/이/크/로/필/름/사/항

촬영연도	*롤 번호	화일 번호	후레임 번호	보관함 번호

SOFA 발효 제 13주년 기념준비 계획 및 준비사항

1. 일시, 장소, 초청자 결정

2. 장소 예약

3. 초청장 인쇄 및 발송

4. 메뉴표 인쇄 ✕

5. 표창 대상자 선정 및 감사패 제작

6. 프로그램 작성 및 국장님 talking paper 작성 (Announcement & Toast)

7. 꽃장식, 마이크 준비, 양국 국기준비 및 확인 (실내장식)
   실내음악

8. 사진사 예약 및 확인

9. 파티 장소 지시판

10. R.S.V.P

11. Seating arrangement, Place Card
    head table

12. 연설문 작성 및 확정

13. 예산 조치

14. 기념 케익

※ 세부점검 및 결정사항

- 실내장치 및 장식

  1) 마이크 4대 및 위치

     연설대 1대, 사회자용 1대, 중앙 1대 (감사패증정), 칵테일 장소 1대

  2) 연 단 : 신라호텔용 또는 외무부 회의실용 사용

  3) 양국국기 위치 : 헤드 테이블뒤 2m 간격으로 벽을 향하여 좌측에
                    아국기, 우측에 미국기

  4) 꽃장식 : 헤드테이블 : 중앙에 큰것, 좌우에 각각 1개씩 작은것
             기타테이블 : 중앙에 작은것 1개

  5) 실내음악 : 양국민요준비

  6) Lce Carving   : "ROK-US SOFA
                      13TH-ANNIVERSARY"   문안을 넣어만듬

- 만찬 장소 지시판 (2개) 및 문안

  1) 1층출입문 1개, 2층 Dynasty Hall   칵테일장소 입구에
     1개설치

  2) 문 안

                    BUEFET DINNER

                  ON THE OCCASION OF

                THE 13THE ANNIVERSARY OF

            THE ROK-US STATUS OF FORCES AGREEMENT

                        18:30

                    DYNASTY HALL

- 헤드 테이블, 원형테이블, 테이블카바 흰색
  1) 헤드 테이블 : 양국 10명식 20명
  2) 원형테이블 : 1개 테이블 10명, 10개 배치

- 모조기념 케익 : 작은것으로 3단, 한쪽구석 테이블위에 놓았다가
  Cuiting   시 헤드 테이블 중앙으로 이동

- 부페테이블 2개, 2열
  만찬장소 입구 양쪽에 배치

- Toast : 마주앙으로함

- 디저트 : 슈크림, 과일을 웨이타가 서브

- 좌석배치카드 배부방법 : Seating Chart   와 좌석배치 카드를
  한테이블위에 놓고, 좌석배치 카드를 알파벳
  순으로 나열 각자 찾아가게함.

- 방명록 비치여부

4

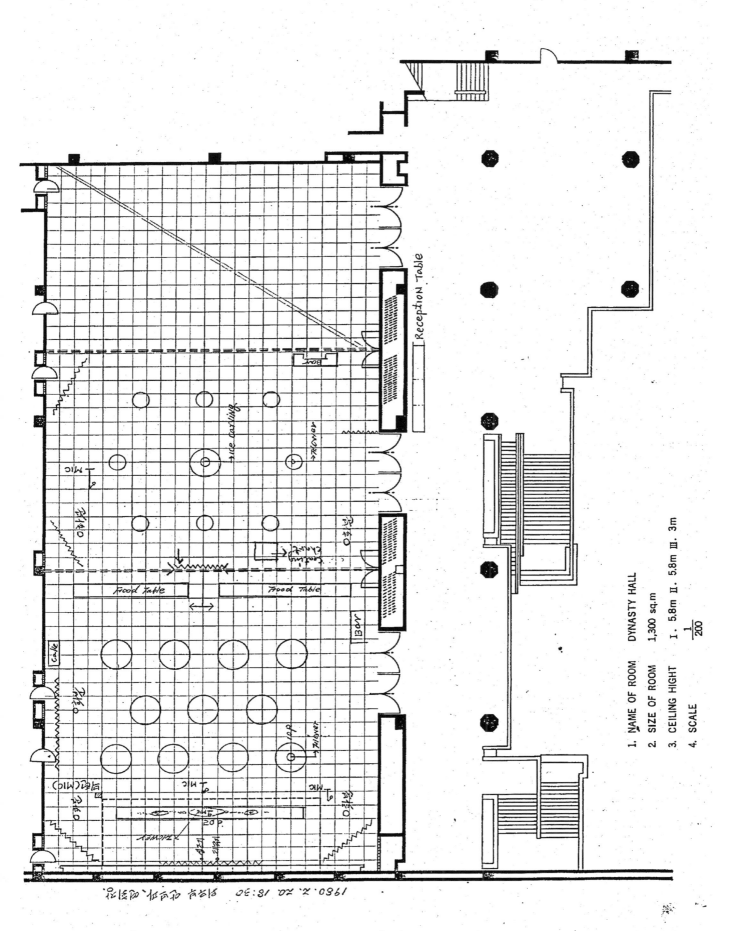

1. NAME OF ROOM   DYNASTY HALL
2. SIZE OF ROOM   1,300 sq.m
3. CEILING HIGHT   I . 5.8m II . 5.8m III . 3m
4. SCALE $\frac{1}{200}$

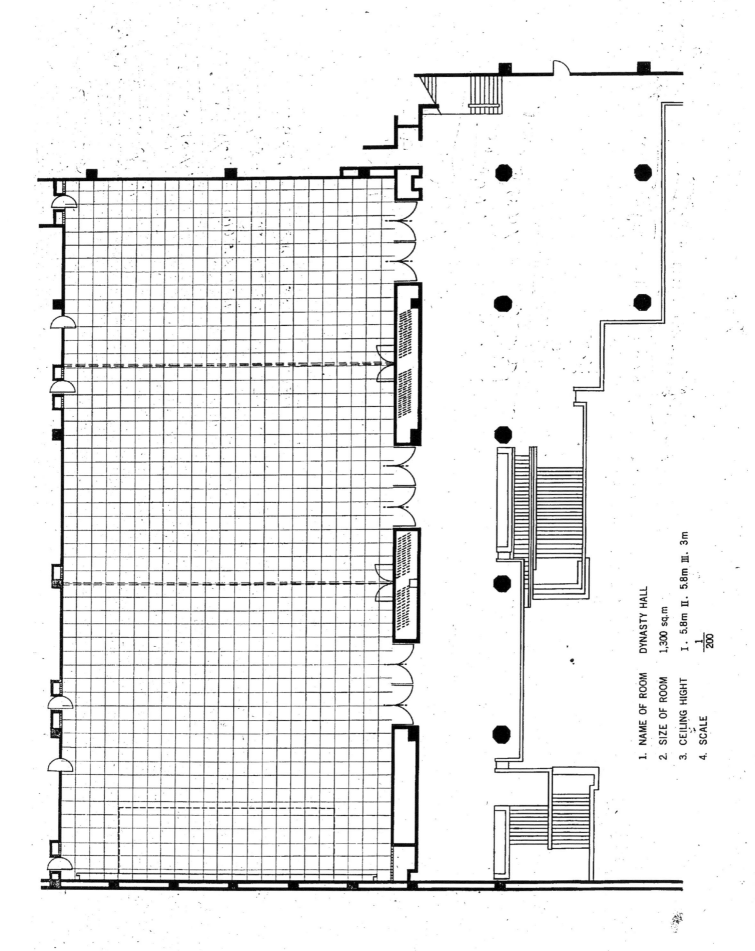

1. NAME OF ROOM   DYNASTY HALL
2. SIZE OF ROOM   1,300 sq.m
3. CEILING HIGHT   I . 5.8m II . 5.8m III. 3m
4. SCALE $\frac{1}{200}$

ㆍ 감사패 수여 대상자

대 상 자	활 동 사 항
○	
한.미 친선협회 매 완선 회장	- 7E년 USO 건물 확장 기금 2백만원 기부
○	- 76. 8. 18. 판문점 집단 살해 사건시 희생된 고 보니파스 소령 미망인 초청, 유자녀 장학금 2만불 모금 전달
	- 미군 한국 가정 초대 (년 1,000 가정, 3,000 명 목표)
	- 주한 미군산업 시찰 (1박 2일, 2박 3일)
	- 한국 근무 장병의 한.미 우호 사진 공모전
대한 주택 공사 양 택식 사장	주한 미군 주택 건설 (서울 700 세대, 오산 200 세대)
삼성 건설 주식회사 이 준 사장	주한 미군 임대 보증 주택 운영 (서울 300 세대, 대구 72 세대)

7

SOFA 발효 제13주년 기념행사, 1980.2.20 151

PLAQUE OF APPRECIATION

Seoul, February 20, 1980

To :

This plaque is presented in appreci-
ation for your outstanding contribu-
tion to the effective implementation
of the ROK-US Status of Forces
Agreement and to the further promotion
of the cooperative and friendly rela-
tion between the Republic of Korea
and the United States of America.

LTG Evan W. Rosencrans
United States Representative
Joint Committee
ROK-US Status of Forces Agreement

Invitation Card

To commemorate the 13th anniversary of

the entry into force

of the ROK-US Status of Forces Agreement

ROK Representative of the ROK-US SOFA Joint Committee

and Mrs Yoo Chong Ha

request the pleasure of the company of

at a Buffet Dinner

on Wednesday, February 20, 1980

at ~~seven~~ Six-thirty o'clock

Dynasty Hall, Hotel Shilla

RSVP   Civilian Informal

70 - 2324

YS - 3654

In Honor of 11th Anniversary Status of Forces Agreement

Lieutenant General Charles A. Gabriel
United States Representative, Joint Committee
Status of Forces Agreement
requests the pleasure of your company
for Cocktails and Dinner
on Thursday, the ninth of February
at seven o'clock
United States Embassy Club

R. S. V. P.   Civilian Informal
Yongsan 6374
Civilian 793-0283

10

MRS. MOON SANG IK
MG LEE TAE YEONG.
MRS SHIN DONG WON
MRS KIM ~~어~~ CHUL SOO

hhhhhhdkdkdkdkdkdkdk

11

SOFA 발효 제13주년 기념 만찬

초청범위 (동영부인) (70명)

(가). 한국측

청 와 대	국제정치담당보좌관	김경원
	정무수석비서관	고 건
국무총리실	행정조정실장	서석준
외 무 부	장 관	
	정무차관보, 경제차관보	
	미주국장	
법 무 부	법무실장	강우영
	검찰국장	문상익
	출입국 관리국장	정명래
국 방 부	차 관	조문환
	합참의장	류병현 대장
	한·미연합사 부사령관	백석주 중장
	기획국장	이태영 소장
	시설국장	안병욱 소장
재 무 부	관세국장	권태원
상 공 부	통상진흥관	김철수
교 통 부	항공국장	김철용

12

관 세 청	감시국장	양성범
노 동 청	노정국장	한진희
경 기 원	공정거래정책관	이양순
	경제개발예산 심의관	박종근
한•미 경제협회회장		박충훈
한•미 친선회 회장		태완선
한•미 협회회장		송인상
한국 방위산업 진흥회 회장		조중훈
" 부회장		유찬우
국제관광공사 사장		김작겸
대한 주택 공사 사장		양택식
삼풍 건설 주식회사 사장		이 준
외무부 출입 기자 간사		김승웅
각 TV 보도국장 (3)		
TBC 논평위원		봉두완
MBC 보도국장		이낙용
KBS 보도국장		김도진
영자신문편집국장 (2)		
Korea Herald 편집국장		윤익한
Korea Times 편집국장		유일연
Diplomacy 발행인		임덕규

13

(나). 미국측   (35명)

주한 미대사	H.E. W.H. Gleysteen, Jr.
미 대사관 (공사)	Mr. J.C. Monjo
미 대사관 (참사관)	Mr. W. Clark, Jr.
주한 미군 사령관	Gen. J.A. Wickham, Jr.
주한 미군 부사령관	LTG. E.W. Rosencrans
JUSMAG/K	MG. O.E. Gonzales
주한 미군 참모장	MG. K.E. Dohleman
한·미 1군 단장	LTG.E.P. Forrester
제 314 항공 사단장	MG. G.A. Edwards
주한 미군 해군 사령군	RADM. S.J. Hostettler
주한 미군 참모부장	COL. W.M. Skidmore
주한 미해군 참모장	CAPT. R.D. Coogan
연합사 연합참모	COL. V.T. Bullock
주한 미 공군 제 314 항공사단 부사령관	COL. T.R. Olsen
주한 미군 군수처 차장	COL B.N. Kreider
주한 미군 인사 참모	COL. H.L. Daniel
주한 미군 법무 참모	COL. J.A. Mundt
주한 미군 관리 참모	COL. B. Peters
미 대사관 1등 서기관	Mr. F.H. Misch
미측 간사	Dr. C.B. Hodges
미측 교체 간사	MAJ. W.A. Fedak
미측 부간사	Mr. F.K. Cook
미측 통역관	Mr. An Chang Hun

14

미 대사관 2등 서기관	Mr. W.R. Perkins
주한 미군 공병 참모	COL. W.Y. Epling
주한 미군 헌병 참모	COL. R.J. Leakey
주한 미군 소청 사무소	LTC. C.R. Murray
주한 미군 군수처 수송과장	COL. E.I. Hickey
주한 미군 시설 공병 단장	COL. E.F. Clarke
주한 미군 민사처 사회 관계 과장	Mr. G.D. Kim
주한 미군 구매처장 (상무 분과위 고체위원장)	COL. W.A. Moore
시설구역 분과위 고체위원장	CDR. J.C. Milkintas
Stars & Stripes 편집국장(동경주재)	COL. R.F. Delaney
Stars & Stripes 한국지 부장	SSG. R. Hatcher
UNC 대변인	COL J.A.D. Klose

15

SOFA 발효 제13주년 기념 만찬

초청범위 (동령부인) (70 명)

(가). 한국측 (35 명)

청 와 대	국제 정치 담당 보좌관	김 경 원
	정무 수석 비서관	고 건
국무총리실	~~행정 조정 실장~~ 비서실장	~~서 석 준~~ 문태갑
외 무 부	장 관	
	정무 차관보, 경제차관보	
	미주 국장	
	미주국 심의관 (불참)	
법 무 부	법무 실장	강 우 영
	검찰 국장	문 상 익
	출입국 관리 국장	정 명 래
국 방 부	차관 합참의장 → 을 문 원	
	한·미 연합사 부사령관	백 석 주 중장
	기획 국장	이 태 영
	시설 국장	안 병 욱
재 무 부	관세 국장	권 태 원
상 공 부	~~통상진흥 국장~~ 통상진흥관	이 은 탁 (불참) 김 철 수
교 통 부	육운 국장	임 유 순

관 세 청   감사국장   양성범

노 동 청   노정국장   한진희

경 기 원   공정거래정책관   이양순

한·미경제협회회장   박충훈

한·미 친 선 회 회장   태완선

신·미업회회장   송인상

한국 방위산업 진흥회 회장   조중훈

         "   부회장   유찬우

국제관광공사 사장   ·   김좌겸

대한주택공사 사장   양택식

외무부 출입 기자 간사   김승웅

각 TV 보도국장 (3)

    TBC 보도국장   고일환
    MBC 보도국장   이낙용
    KBS 보도국장   김도진

영자신문 편집국장 (2)

    Korea Herald   편집국장 윤의한
    Korea Times   편집국장 유익연

Diplomacy   발행인   임덕규

SOFA   유 공 지

대 상 자	공 적 사 항
한미 경제 협의 회장 박 충 훈	주 한 미 군 과의 교 류 에 재 정 지 원
한미 협회 회장 송 인 상	"
✓한·미 친선 협회 회장 태 완 선	"
✓대한 주택 공사 사장 양 택 식	주 한 미 군 주 택 건 설
✓삼풍 건설 (주) 사장 이 준	주 한 미 군 용 임 대 주 택 운 영
한국 관광 공사 사장 김 적 겸	USO 사 업 지 원

✓ 3명 감사패 수여.

18

BUFFET DINNER
BY
ROK REPRESENTATIVE OF THE ROK-US SOFA
JOINT COMMITTEE AND MRS. YOO CHONG HA
ON THE OCCASION OF
THE 13TH ANNIVERSARY OF
THE ENTRY INTO FORCE OF SOFA

PROGRAM
* * * *

COCKTAILS
*
BUFFET DINNER
*
TOAST

BY
MR. YOO CHONG HA
ROK REPRESENTATIVE

AND
LTG EVAN W.ROSENCRANS
US REPRESENTATIVE
*
CAKE CUTTING
*
PRESENTATION OF PLAQUE OF APPRECIATION
*
REMARKS

BY
H.E. TONG-JIN PARK
MINISTER OF FOREIGN AFFAIRS,

H.E. WILLIAM H.GLEYSTEEN JR.
UNITED STATES AMBASSADOR

AND
GEN JOHN A.WICKHAM JR.
COMMANDER, UNITED STATES FORCES KOREA

February 20, 1980
Hotel Shilla
Dynasty Hall

19

2.   초청범위 (동령부인)   (73 명)

(가). 한국측   (41명)

청 와 대   국제정치담당보좌관
               의전수석비서관
               정무수석비서관

국무총리실   비서실장
               외전비서관

국   회   외무위원장
               국방위원장
               외무위간사 (3)
               국방위간사 (3)

외 무 부   장   관
               차   관
               정무차관보
               미주국장
               미주국 심의관   노창회
               안보담당관   양세훈

법 무 부   법무실장   강우영
               검찰국장   문상익
               출입국 관리국장 · 정명택

국 방 부   장   관
           차   관
           합참의장
           한·미연합사 부사령관
           기획국장   이태영
           시설국장   안병우

재 무 부   관세국장   권태원

상 공 부   통상진흥국장   이은탁

교 통 부   육운국장   임유순

관 세 청   감시국장   양성범

노 동 청   노정국장   한진회

경 기 원   공정거래정책관   이양순

한미경제협회회장   박충훈

한·미친선협회회장   태완선

한·미협회회장   송인상

기   자   외무부출입기자 간사 (2)
            국방부출입기자 간사 (2)

2/

（나）. 미국 측 :   (32 명)

주한 미 대사	H.E. W.H. Gleysteen, Jr.
주한 미군 사령관	Gen. J.A. Wickham. Jr.
주한 미군 부사령관	LTG. E.W. Rosencrans
주한 미군 참모 부장	COL W.M. Skidmore
주한 미해군 참모장	CAPT R.D. Coogan
연합사 연합 참모	COL V.T. Bullock
주한 미공군 제 314 항공 사단 부사령관	COL T.R. Olsen
주한 미군 군수처 차장	COL B.N. Kreider
주한 미군 인사 참모	COL H. Daniel
주한 미군 법무 참모	COL J.A. Mundt
주한 미군 공병 참모	COL W.Y. Epling
주한 미군 관리 참모	COL B. Peters
미 대사관 1등 서기관	Mr. F.H. Misch
미측 간사	Dr. C.B. Hodges
미측 교체 간사	MAJ W.A. Fedak
미측 부간사	Mr. F.K. Cook
미측 통역관	Mr. An chang Hun
주한 미군 헌병 참모	COL R.J. Leakey
주한 미군 소청 사무소	LTC C.R. Murray
주한 미군 군수처 수송 과장	COL E. I. Hickey
주한 미군 시설 공병 단장	COL E.F. Clarke
주한 미군 민사처 사회 관계 과장	Mr. G.D. Kim

미 대사관	Monjo 공사
미 대사관	Clark 참사관
미 대사관	Perkins 2등 서기관
JUSMAG/K	MG O.E. Gonzales
주한 미군 참모장	MG K.E. Dohleman
한.미 1 군 단장	LTG. E.P. Forrester
제 314 항공 사단장	MG G.A. Edwards
주한 미 해군 사령군	RADM S.J. Hostettler
주한 미군 구매처장 (상무 분과위 교체 위원장)	COL W.A. Moore
시설 구역 분과위 교체 위원장	CDR J.C. Milkintas

第 13 週年 SOFA 發効 記念行事
（概　要）

1. 日時 및 場所 ： '80. 2. 20 (水) 19:00 新羅호텔 Dynasty Hall

2. 行事種類 ： Buffet

3. 經　費 ： ₩ 2,375,000

4. 招請範圍 (總 81名) ： 韓國側 ： 47名 (同 令夫人)
   美國側 ： 34名 (　〃　)

5. 長官님 感謝牌 授與 (6名 豫定)

   韓國側 ： 韓·美 經済 協會 會長　박충훈
   　　　　　大韓 住宅 公社 社長　양택식
   　　　　　國際 觀光 公社 社長　김좌겸

   美國側 ： 未定

6. 主要 Program
   - 祝辭 ： 長官、駐韓美大使, 駐韓美軍 司令官
   - 長官님 感謝牌 授與
   - 記念 케익 자르기
     韓國側 ： 長官, 美洲局長
     美國側 ： 駐韓美大使, SOFA 美側 代表

7. 言論 報道

   3 TV 放送局 報道局長과 外務部 및 國防部
   出入記者団幹事 (4名) 招請

24

P R O G R A M (안)

18:30   Cocktail

19:00   Announcement ✔
           (Buffet is ready)

19:20   Dinner

20:00   Toast ✔
              by Mr. Yoo Chong Ha
              by LTG Evan W. Rosencrans

20:10   Cake Cutting Ceremony ✔

20:20   Coffee Service ✔
              Presentation of Plaque
              Remarks by Foreign Minister
              Remarks by Ambassador

1.   Ladies and gentlemen, may I have your attention
(7:00)   please. Now buffet is ready and would you please

proceed to the next door. When all of you take

seats first, soup will be served by waiters.

After having soup, you may proceed to the buffet

table.

2.   Toast (attached)
(8:10)

3.   Ladies and gentlemen, we are now going to have
(8:20)   a cake cutting ceremony. May I request Y.E.

Foreign Minister and Y.E. Ambassador Gleysteen

to come to the table.

4.   Ladies and gentlemen, I am happy to announce
(8:30)   that ROK-US Representatives of SOFA Joint Com-

mittee will present a plaque of appreciation to

three gentlemen in recongnition of their out-

standing contributions to our joint efforts for

the implementation of the SOFA.

May I ask first Mr. Tae Won Son, President of

Korean-American Friendship Association, to proce-

ed to the front table.// Mr. Yang Taek Shik,

President of Korea National Housing Corporation,
Would you please come to the table. //
Mr. Lee Joon, President of the Sampoong Construc-
tion & Industrial Co., Please come to the table.

5.   Ladies and gentlemen, to make today's gathering
(8:45) more meaningful, I would request H.E. Foreign
        Minister Park Tong-Jin, H.E. Ambassador William
        H. Gleysteen and Commander of the United States
        Forces Korea, General John A. Wickham to make
        remarks on this auspicious occasion.

Toast by ROK Representative

Ladies and Gentlemen,

On this auspicious occasion, we have the privilege of having presence of distinguished guests;

--- H.E. Minister of Foreign Affairs and Mrs. Park Tong-Jin

--- H.E. Ambassador and Mrs. William H. Gleysteen Jr.

--- The Commander of United States Forces Korea and Mrs. John A. Wickham Jr.

--- H.E. Vice Minister of National Defense Cho Moon Hwan

--- members of the ROK-US Joint Committee,

I wish to propose a toast to our honoured guests and friends on the 13th Anniversary of the Status of Forces Agreement and for our everlasting friendship between the United States of America and the Republic of Korea.

Ladies and Gentlemen :

May I greet you on behalf of the ROK-US Sofa Joint Committee ①
I will briefly explain to you how this
evenings event will proceed :

First   There will be toasts by myself and
         my U.S. colleague Gen. Evan
         Rosencrans

Second   There will be a cake cutting ceremony.
         This Excellencies Foreign Minister and
         Ambassador Gleysteen will join in
         the cake cutting

29

Third : We will have presentation of plaque of appreciation to 3 Gentlemen for their contribution to the work of SOFA

Lastly : We will request 3 ~~more~~ of our distinguished guests to make commemorative remarks on ~~this~~ anniversary

외 무 부 미 주 국

30

Toast by ROK Representative

Ladies and Gentlemen,

On this auspicious occasion, highlighted by the presence of distinguished guests ;

--- H.E. Minister of Foreign Affairs ~~and first Park Tong Jin~~ Park Tong Jin

--- H.E. Minister of National Defense Choo Young-Bock

--- The Chairman of the Joint Chiefs of Staff and Mrs. Lew Byung Hyun on the Korean side

--- H.E. Ambassador and Mrs. William H. Gleysteen Jr.

--- The Commander of United States Forces Korea and Mrs. John A. Wickham Jr. on American side

May I propose a toast to our Honoured guests and friends on the 13th Anniversary of the Status of Forces Agreement and for our everlasting friendship between the United States of America and the Republic of Korea.

1. TOAST (ATTACHED)

   NOW I WOULD ASK MY COLLEGUE AND U.S. REPRESENTATIVE
   LT. GEN. EVAN W. ROSENCRANS TO SAY A TOAST.

2. LADIES AND GENTLEMEN, WE ARE NOW GOING TO HAVE A
   CAKE CUTTING CEREMONY. MAY I REQUEST Y.E. FOREIGN
   MINISTER AND AMBASSADOR GLEYSTEEN TO COME AND JOIN
   US IN CAKE CUTTING.

3. LADIES AND GENTLEMEN, I AM HAPPY TO ANNOUNCE THAT
   KOREAN AND AMERICAN REPRESENTATIVES OF SOFA JOINT
   COMMITTEE WILL PRESENT A PLAQUE OF APPRECIATION TO
   THREE GENTLEMEN IN RECOGNITION OF THEIR OUTSTANDING
   CONTRIBUTIONS TO OUR JOINT EFFORTS FOR THE IMPLEMEN-
   TATION OF THE SOFA.
   THEY ARE MR. TAE WON SON, PRESIDENT OF KOREA

AMERICAN FRIENDSHIP ASSOCIATION.
MR. YANG TAEK SHIK, PRESIDENT OF KOREA NATIONAL
HOUSING CORPORATION, AND MR. LEE JOON, PRESIDENT OF
THE SAMPOONG CONSTRUCTION & INDUSTRIAL CO.,   WOULD
YOUR THREE GUESTS COME TO THE TABLE.

4. LADIES AND GENTLEMEN, TO MAKE TODAY'S GATHERING
   MORE MEANINGFUL, I HAVE THE HONOUR TO REQUEST H.E.
   FOREIGN MINISTER PARK TONG-JIN TO MAKE REMARKS ON
   THIS AUSPICIOUS OCCASION. I WISH TO REQUEST NOW
   AMBASSADOR WILLIAM H. GLEYSTEEN, JR. TO MAKE COM-
   MENTS. MAY I ASK THE COMMANDER OF THE UNITED
   FORCES KOREA GEN. JOHN A. WICKHAM, JR. TO MAKE HIS
   REMARKS.

5, ON BEHALF OF THE SOFA JOINT COMMITTEE, I WOULD LIKE TO EXPRESS ~~OUR~~ *my* THANKS TO THE ~~FOUR~~ *three* OF OUR DISTINGUISHED GUESTS FOR THEIR VERY KIND AND ENCOURAGING REMARKS,

I ALSO WOULD LIKE TO THANK OTHER GUESTS AND FRIENDS FOR THEIR ATTENDANCE THIS EVENING. WE, THE MEMBERS OF THE JOINT COMMITTEE, REGARD IT A SPECIAL PRIVILEGE TO BE ABLE TO DEAL WITH THE ADMINISTRATIVE PROBLEMS THAT ARISE FROM THE PRESENCE OF THE UNITED STATES FORCES IN KOREA. WE ARE HAPPY TO NOTE THAT WE HAVE BEEN ABLE TO CARRY OUT ALL OF THE DUTIES ENTRUSTED ON US IN A FRIENDLY AND COOPERATIVE ATMOSPHERE,

THE SUCCESS OF OUR WORK, HOWEVER, DEPENDS ULTIMATELY ON THE MUTUAL UNDERSTANDING AND RESPECT ON THE PART OF THE LARGER COMMUNITY OF BOTH THE UNITED STATES FORCES IN KOREA AND THE PEOPLE AND GOVERNMENT OF THE REPUBLIC OF KOREA.

IN THIS REGARD, I VERY MUCH LOOK FORWARD TO THE CONTINUED SUPPORT AND ~~COOPERATION~~ *patronage* FROM ALL OF YOU HERE THIS EVENING FOR THE FURTHER SUCCESS OF WORK OF OUR JOINT COMMITTEE. THANK YOU,

/DRAFT/

Guest of Honour Remarks
(12th SOFA Anniversary)

March 2, 1979

Ambassador Gleysteen, General Vessey, Representatives and members of the SOFA Joint Committee, distinguished guests, ladies and gentlemen:

I am happy to say a few words on this happy auspicious occasion.

First of all, I am very pleased to join you tonight in commemorating the 12th anniversary of the Status of Forces Agreement as well as of the SOFA Joint Committee.

It is a great pleasure for me to note that the SOFA Joint Committee has been characterized by the spirit of friendship and cooperation between the two components of the Joint Committee during the past 12 years.

34

Ever since its inception on February 9, 1967,
the Joint Committee has played the central role
in promoting the common security interests of
our two nations.

The smooth and effective implementation of SOFA
is,I believe, the results of the selfless
devotion of the members of the Joint Committee,
past and present.

I am very confident that the Joint Committee
will continue to function effectively to help
resolve the problems relating to the presence
of the U.S. military forces in Korea.

The U.S. forces in Korea have also made, in
addition to their security duties,an immesurable
contribution to the better understandings
between the peoples of our two countries.

The close contacts between the U.S. military
personnels and the local Korean populace symbolizes

35

the grass-rooted friendly relations between our
two allies.

Based on this grass-rooted friendship between
the peoples of the two countries, the close
and cooperative relations between our two govern-
ments will be further strenthened.

I wish the SOFA Joint Committee and the various
authorities concerned will continue to pay their
attention to this area further.

I am not supposed to make any formal speech
tonight, so I will close my remarks.   Again,
I am very pleased to be with you tonight at this
happy occasion, and wish you continuing success
in operating the Joint Committee effectively and
implementing the Status of Forces Agreement
smoothly.

Thanks.

END

36

MINISTER PARK, AMBASSADOR GLEYSTEEN, HONORED GUESTS,
LADIES AND GENTLEMEN:

I AM PLEASED TO JOIN WITH YOU TONIGHT IN CELEBRATING
THIS SPECIAL OCCASION. THE UNITED STATES HAS STATUS OF
FORCES AGREEMENTS OR TREATIES WITH MORE THAN TWENTY
COUNTRIES WHERE US FORCES ARE STATIONED. AS YOU WOULD
EXPECT, THE IMPLEMENTATION OF THE SOFA IN SOME COUNTRIES
WORKS IN A SPIRIT OF GREAT HARMONY AND COOPERATION. IN
OTHERS, THE RELATIONSHIP HAS A HISTORY OF BEING DIFFICULT
AND SOMETIMES TURBULENT.

OVER THE PAST THIRTEEN YEARS, OUR RELATIONSHIP HAS
HAD A SPECIAL, PERHAPS UNIQUE, QUALITY OF FRIENDSHIP AND
COORDINATION. SOME OF THIS STEMS FROM THE BATTLES AND
BLOODSHED WE ENDURED TOGETHER DURING THE WAR YEARS. IT
COMES ALSO FROM OUR CLOSE MUTUAL RELATIONSHIP IN BEING
PREPARED TO DEFEND OURSELVES AGAINST RENEWED ATTACKS.
IT WAS REINFORCED WHEN ROK FORCES JOINED WITH US IN
VIETNAM AND FURTHER SOLIDIFIED BY THE ORGANIZATION OF
THE COMBINED FORCES COMMAND.

YES, OURS INDEED HAS A SPECIAL QUALITY BECAUSE IT
IS AN EAST - WEST RELATIONSHIP.

BEING TASKED WITH INSURING AN EFFECTIVE DEFENSE FOR
THE REPUBLIC OF KOREA INVOLVES MUCH MORE THAN TRAINING,
LOGISTICS AND PLANNING. TODAY, I AM ESPECIALLY CONCERNED
THAT WE CONTINUE TO OBTAIN THE BEST PROFESSIONAL MILITARY
PERSONNEL FOR ASSIGNMENTS TO KOREA. A STRONG DEFENSE

2-1

POSTURE REQUIRES DEDICATED MANPOWER TO OPERATE AND
MAINTAIN THE EQUIPMENT. THE ACTIONS OF THE KOREAN
GOVERNMENT IN BUILDING HOUSING PROJECTS FOR THE EXCLUSIVE
USE OF US FORCES IS A STEP IN THE RIGHT DIRECTION. A
KOREAN ASSIGNMENT MUST APPEAL TO OUR MEN AND THEIR
FAMILIES. ASSIGNMENTS TO KOREA MUST COMPETE WITH OTHER
U. S. MILITARY ASSIGNMENTS THROUGHOUT THE WORLD. I WAS
HAPPY AND PROUD TO REPORT BACK TO AUTHORITIES IN THE
PENTAGON AND THE CONGRESS THAT KOREA IS CONTRIBUTING AN
INCREASING SHARE OF THE COSTS AND SERVICES FOR US FORCES.

AS A COMMANDER, I AM ALSO HELD RESPONSIBLE FOR
OBTAINING THE MOST FOR EVERY DOLLAR APPROPRIATED FOR OUR
MILITARY FORCES IN KOREA. THE CONGRESS IS ALWAYS LOOKING
FOR WAYS TO REDUCE BUDGETS OR THE POSSIBILITY OF TRANSFERRING
FUNDS TO FULFILL OUR HEAVY COMMITMENTS THROUGHOUT THE
WORLD. THEREFORE, IT IS HEARTENING TO KNOW THAT OUR
PRESSING NEEDS ARE REGULARLY DISCUSSED WITH APPROPRIATE
OFFICIALS OF THE KOREAN GOVERNMENT. YOUR EFFORTS IN
COST-SHARING, SUCH AS ON HOUSING AND ELECTRIC RATES FOR
OUR FACILITIES AND OUR INDIVIDUAL FAMILIES, CLEARLY
REFLECT YOUR CONCERN AND INTEREST IN THE WELFARE OF OUR
SERVICE MEN AND WOMEN.

I AM SURE THAT THE 1980'S WILL CONTINUE TO DEMONSTRATE
THE MUTUAL COOPERATION AND CLOSE RELATIONSHIP BETWEEN
OUR TWO NATIONS. I WISH THE JOINT COMMITTEE OF THE
STATUS OF FORCES AGREEMENT EVERY SUCCESS IN THE COMING
YEAR, AND I THANK YOU FOR EFFORTS OVER THE YEARS.

2-2

PROPOSED TALK BY AMBASSADOR GLEYSTEEN
SOFA ANNIVERSARY PARTY
20 FEBRUARY 1980

THE HONORABLE PARK TONG JIN, FOREIGN MINISTER OF THE
REPUBLIC OF KOREA AND MRS. PARK, GENERAL JOHN A. WICKHAM,
COMMANDER OF UNITED STATES FORCES, KOREA AND MRS. WICKHAM,
MR. YOO CHONG HA, REPUBLIC OF KOREA REPRESENTATIVE TO THE
JOINT COMMITTEE AND MRS. YOO, GENERAL EVAN W. ROSENCRANS,
DEPUTY COMMANDER OF UNITED STATES FORCES, KOREA AND UNITED
STATES REPRESENTATIVE TO THE JOINT COMMITTEE AND MRS.
ROSENCRANS, HONORED GUESTS, LADIES AND GENTLEMEN:

I AM HONORED TO JOIN WITH YOU TONIGHT IN CELEBRATING
THE THIRTEENTH ANNIVERSARY OF THE ENTRY INTO FORCE OF THE
UNITED STATES - REPUBLIC OF KOREA STATUS OF FORCES AGREEMENT.
EVENTS OF THE PAST YEAR HAVE INTRODUCED MORE DRAMATIC CHANGES
AND CHALLENGES TO KOREAN AND AMERICAN RELATIONSHIPS THAN ANY
OF THE PREVIOUS DOZEN YEARS.

ALONG WITH THE DEVELOPMENTS WHICH HAVE TAKEN PLACE
WITHIN THE REPUBLIC OF KOREA, HAVE COME MAJOR CHANGES IN OUR
DEFENSE ROLES AND COMMITMENTS. WE HAVE SEEN AN EVOLVING,
MATURING RELATIONSHIP BETWEEN OUR TWO COUNTRIES, WHICH HAS
GROWN INTO A GREATER SHARING AND PARTNERSHIP. IN THIS NEW
ERA OF COORDINATION AND SHARING OF RESPONSIBILITIES, THE US-
ROK JOINT COMMITTEE PLAYS A MOST IMPORTANT ROLE. ONE OF
THESE ESSENTIAL FUNCTIONS IS TO PROVIDE AVENUES FOR EFFECTIVE
COMMUNICATION AND CLOSE COOPERATION BETWEEN THE REPRESENTATIVES
OF OUR TWO GOVERNMENTS.

1-1

39

The US-ROK Joint Committee and its eleven subcommittees through your discussions and negotiations have enabled us to reach acceptable solutions to our mutual defense problems in a spirit of friendship and cooperation.

As all of you know full well, the Joint Committee has been confronted with a wide variety of challenging problems over the years, which have tested our flexibility, readiness to understand other points of view, and willingness to be patient.

The mere fact that during the past thirteen years the minutes of the Joint Committee reflect over 2,000 instances of joint agreement, and that there are only 60 tasks where an agreement is pending, highlights the success of your efforts.

This is not to say that the process of solving problems by committee action is either easy or rapid. It is the nature of negotiations that they often take too long, especially when points of difference are not seen as areas for compromise, even in the interest of a practical solution.

It is obvious that in the Korea – United States relationship of today there is a greater sharing of responsibilities, including mutual defense costs.

During the extraordinary events and traumatic situations the past several months, United States Forces in Korea, in the Pacific, and from the United States have readily responded with unstinting support with arms, manpower and operational funding.

1-2

4.0

On the other hand, we have requested assistance from your Government in helping solve the problems being faced by our U.S. Forces families due to the rapidly increasing cost of living in Korea. I know you are working together on this.

It is a fact of life that our United States Congress does not provide the flexibility nor the funding needed to solve these family problems that is available for critical defense actions. However, we are sincerely concerned about these family problems because they have such a serious effect on the morale and welfare of so many key military personnel. Maintaining a satisfactory home life has become a major issue for our officers and enlisted men.

We do appreciate the interest and support of the Korean Government and especially the Korea National Housing Corporation for their efforts to provide housing that will enable the more highly qualified men to bring their families to Korea to serve longer tours in critical positions.

For the several thousand families who have been living in private housing, the costs have simply become prohibitive, especially the utility rates. Korea must not become an area where these most professional and highly skilled men feel they must try to avoid in preference for assignments to other areas. We cannot expect families to use their savings or go into debt in order to serve on extended tours of duty here. Many have come to Korea at their own choice.

1-3

41

As inflation continues, this becomes an increasingly serious problem. I urge you to avoid further delay in finding a mutually satisfactory solution to help ease this problem.

Both the internal and international situations facing Korea and the United States have multiplied. This can only mean that our two nations must work even more closely together.

The Status of Forces Agreement is an international treaty and can take precedence over both Korean and U.S. laws. Implementation of this agreement requires the highest Korean Government support. In your committee meetings, you have an especial opportunity and challenge that few men have to help unify our efforts and strengthen our ties.

Again, I congratulate you upon this thirteenth anniversary, and I wish to thank all of you for your personal commitment to carrying out your tasks in behalf of the Status of Forces Agreement.

Thank you.

1-4

42

초 청 장 배 부 리 스 트

1. 합동위원회

가. 한국측

성 명	직 위	배부처	R.S.V.P.
주 문 기	법무부 법무실장		
송 병 순	재무부 관세국장		
허 형 구	법무부 검찰국장		
이 길 주 _ITE KIL CHO_	법무부 출입국관리국장 (76. 6. 21.자)		
소장 김명수	국방부 기획국장		
준장 마종구	국방부 시설국장		
노 진 식	상공부 통상진흥국장		
서 인 수	교통부 안전감사관		
김 진 우	관세청 감시국장		
신 연 호	노동청 노정국장		

43

* 구 위 원

성 명	직 위	배부처	R.S.V.P.
안 경 열	대검찰청 검찰사무부장		

44

나. 미 측

성 명	직 위	배부처	R.S.V.P.
Lt. Gen. and Mrs. ~~LTG~~ John J. Burns	Deputy Commander USFK, Seoul		
Captain and Mrs. ~~CAPT~~ Leroy A. Hamilton	Assistant Chief of Staff, J5, USFK Seoul		
COL Gilbert Procter, Jr.	Deputy Chief of Staff(Army), USFK		
COL Robert A. Carter	Vice Commander, 314th Air Div. Air Forces, Korea		
COL Zane E. Finkelstein	Judge Advocate USFK		
COL Robert E. Ayers	Engineer, USFK		
COL Charles M. Priem	Chief, Services Branch J4, USFK		
Mr. Robert A. England	First Secretary, Political Section American Embassy, Seoul		

45

성 명	직 위	배부처	R.S.V.P.
Mr. Donald S. MacDonald	Chief, International Relations Branch J5 Div. USFK		
LTC Stevenson E. Bowes	International Relations Officer, J5, USFK		
Mr. Francis K. Cook	International Relations Officer, J5, USFK		

46

2. 구 분 과위원장

가. 한 국 측

성 명	직 위	배부처	R.S.V.P.
이 기 욱	경제기획원 물 가정책국장		

나. 미 측

성 명	직 위	배부처	R.S.V.P.
COL Harry W. Brown	ACofS, Comptroller, USFK		
COL Robert L. Day	Commander, 2d Transportation Group, USFK		
COL John M. Adsit	Commander, US Army Facilities Engineer Activity, Korea		

47

3. 한국측 기타 관계자

* 청와대

성 명	직 위	배부처	R.S.V.P.
김동조	외교담당 특별보좌관		
최광수	의전 수석 비서관		
유혁인	정무 제1 수석 비서관		
최필립	외전 섭외 비서관		
심운택	정무 비서관		

* 국무총리실

성 명	직 위	배부처	R.S.V.P.
이규현	비 서 실 장		
김창희	제1 행정 조정관		

48

* 국　회

성　　명	직　　위	배부처	R.S.V.P.
최 영 희	외무 위원장		
민 병 기	외무위 공화당 간사		
오 세 응	외무위 신민당 간사		
정 일 영	외무위 유정회 간사		
정 내 혁	국방위원장		
김 재 원	국방위 공화당 간사		
신 상 우	국방위 신민당 간사		
송 호 림	국방위 유정회 간사		
김 종 하	국회의장 비서실장		
김 병 훈	외무위 전문위원		
우 병 규	외무위 전문위원		
곽 철 종	국방위 전문위원		

49

* 기 타

성 명	직 위	배부처	R.S.V.P.
이 동 원	전 외무부 장관		
김 동 휘	문공부 차관 (전 수석대표)		
이 민 우	국방부 차관		
노 재 현	국방부 합참의장 ✓		
박 세 직	국방부 장관 보좌관		
신 찬	국방부 대변인		
장 덕 진	경제기획원 차관		
서 정 학	내무부 차관		
조 충 훈	재무부 차관		
김 종 경	법무부 차관		
심 의 환	상공부 차관		
김 완 수	교통부 차관		
최 대 현	관세청장		
최 석 원	노동청장		

50

성 명	직 위	배부처	R.S.V.P,
이 영 덕 (조선일보)	외무부 출입기자 간사		
송 도 균 (중앙방송)	"		
최 신 호 (서울신문)	국방부 출입기자 간사		
김 정 서 (동아방송)	"		

정동열 국무총리실 의전수석비서관
위홍범 항청 정리국장

(관리차관보 백희동
국방행{군수 " 백석규
 인력 " 조문환

5/

4. 주한 미대사관

성 명	직 위	배부처	R.S.V.P.
H.E. and Mrs. Richard L. Sneider	대 사		
Mr. and Mrs Paul M. Cleveland	참 사 관		
" John T. Bennett	"		
" John E. Kelley	1등 서기관		
" Walter H. Drew	"		

52

5. 주한미군 관계자

성 명	직 위	배부처	R.S.V.P.
General and Mrs GEN Richard G. Stilwell	Commander, USFK		
Maj General MG John K. Singlaub	Chief of Staff, USFK		
MG Oliver D. Street, III	Commander, JUSMAG-K		
COL R.W. Henderson	Deputy ACofS, J4, USFK		
COL Paul E. Raabe	ACofS, J1, USFK		
COL Kenneth Weinstein	Provost Marshal, USFK		
COL Elvin O. Wyatt	Deputy Chief of Staff (Joint), USFK		
COL Thomas W. Daniels, Jr.	Commander, US Army Procurement Agency, Korea, USFK		

53

성 명	직 위	배부처	R.S.V.P.
COL David W. Lacy	Deputy ACofS, J5, USFK		
COL Myron J. Longmore	Deputy ACofS, J1, USFK		
Mr. Joseph R. Chapla	Deputy Comptroller, USFK		
LTC Mary E. Edwards	Chief, Human Relations, ACofS, J1, USFK		
CO Curtis A. Tack	Chief, Real Estate/SOFA Br., Office of the Engineer, USFK		
LTC Daniel C. Warren	Chief, Preventive Medicine Div., Surgeon Office USFK		

54

6. 기 타

성 명	직 위	배부처	R.S.V.P.
Robert N. Smith	합동위 전 미측 수석대표		
CPT Ronald Lewis	Custodian Golf Club, USFK		
안 창 훈	Interpreter		

55

To commemorate the 13th anniversary
of the Status of Forces Agreement

Republic of Korea Representative, SOFA Joint Committee
and Mrs. Yoo Chong Ha
request the pleasure of the company of

at a Buffet Dinner
on Wednesday, February 20, 1980
at Six-thirty p.m.
Dynasty Hall, Hotel Shilla

R.S.V.P.
70-2324
YS 3654

Civilian Informal

56

주둔군 지위 협정 발효 13주년 기념 만찬

(1980. 2. 20)

주둔군 지위 협정(SOFA) 발효 13주년을 기념하기
위한 만찬이 1980. 2. 20. 18:30 부터 신라 호텔 2층
Dynasty Hall   에서 개최 되었다.

주영복 국방장관, 류병현 합참의장

동 만찬에는 한국측 에서는 박 동진 외무부 장관, 조 문환
국방부 차관, 백 석주 한.미 연합사 부사령관 및 유 종하 SOFA
합동 위원회 한국측 수석 대표 및 합동 위원회 한국측 위원들 과
미측 에서는 글라이스틴 주한 미 대사, 위컴 주한 미군 사령관,
로젠크랜스 SOFA 합동 위원회 미측 수석 대표 및 합동 위원회
미국측 위원들 과 기타 관계자들 이 참석 하였다.

동 만찬에서는 주둔군 지위 협정의 시행에 공이 큰 매 완선
한.미 친선 협회장, 양 택식 대한 주택 공사 사장, 이 준 삼풍
건설 주식회사 사장에게 감사패가 수여 되었으며, 박 동진 외무
장관, 글라이스틴 주한 미 대사, 위컴 주한 미군 사령관이
주둔군 지위 협정 13주년을 축하하는 기념 연설을 하였다.

안 보 담 당 관 실

57

SOFA 현 안 문 제

1. 주한 미군 전기 요금 문제

- 미군측은 주한 미군 가정용 요금의 누진율에 때한 적용을 경감하고 기지에 대해서는 산업용 요금을 적용하여 줄것을 요청 하였음.

- 당부는 동자부와의 협의를 거쳐 80.2.19. 가정용에 대해서는 4단계의 경감된 누진율 적용, 기지용에 대해서는 산업용에 18% 의 추가 요금을 적용 시키겠다는 방침을 미측에 통보 하였음 (미측 반응은 호의적인 듯함)

2. 한남동 미군용 주택 층수 규제 문제

- 미측은 80.2.8 자 Rosencrans 장군의 서한을 통해 현재 한남동에 주택 공사가 건설중인 주한 미군 전용 주택이 당초 계획대로 15층으로 건설될수 있도록 하여 줄것을 요청하여 왔음.

- 이 문제는 당초 78.10 고 박 대통령의 재가를 받을 당시 4동의 15층 건설 계획이 포함되어 있었으나 79.4. 수도권 문제 심의 위원회의 고층 건물 규제 방안에 의해 서울시 당국이 10층으로 건설토록 주택 공사에 통고 하므로서 발단 되었음

58

- 당부는 서울시에 본 사업이 안보적 차원에서 추진되었다는 점을 감안 당초 계획대로 건설될수 있도록 요청하는 공문을 발송 하였음.

3. 주한 미군 임대 보증 주택 (RGH) 에 대한 한국 정부의 지원 문제

   - 미측은 79. 12. 3 자 Rosencrans 장군의 서한을 통하여 RGH 운영을 위하여 20억 3천 7백만원을 한국 정부가 보조하여 줄것을 당부에 요청하여 왔고, 별도로 경기원장관 앞으로도 (1) 미국 정부가 지급하는 임대료를 삼풍 건설의 부채 상환에 쓰지 않고 RGH 운영에 쓸수 있도록 해줄것과 (2) 삼풍의 부채문제를 한국정부가 해결하여 줄것을 요청하여 왔음.

   - 당부는 경기원과 협의, 80. 2. 13 자로 상기 보조금 지급이 불가능함을 통보 하였고, (한국 정부는 75년부터 79년까지 매년 4억 8천만원의 보조금을 지급하여 왔음) 경기원은 (1) 미측 임대료를 RGH 운영에 쓰일수 있도록 서울 신탁 은행을 통해 매월 3천만원씩 지급하던 관리 운영비를 5천만원으로 증액 시키겠으며 (2) 삼풍의 부채 해결을 위해 계속 노력 하겠다는 내용의 회신을 80. 2. 13. 미측에 발송 하였음.

59

SOFA 약 사

한·미 주둔군 지위 협정은 서울에서 1966. 7. 9 에 이동원 외무부 장관과 러스크 미 국무장관 사이에 서명되고, 1967. 2. 9. 에 발효되어 지난 2.9 로 발효 13 주년을 맞이 하였음. 이 주둔군 지위 협정은 1954년의 한·미 상호 방위 조약 제 4조 (미군의 대한민국 영토 내및 그 주변에 배치하는 권리) 에 따라 체결된것으로서 동 조약과 함께 그동안 한·미 간의 지속적 이고도 효과적인 상호 방위 노력의 근간을 이루어 왔으며, 미국 의 한국 주둔과 관련된 모든 문제를 이 협정에 의해 성공적으로 해결해 왔음.

동 주둔군 지위 협정 규정에 의해 설치된 합동 위원회는 정부측으로부터는 관계 부처 대표들을 위원으로 구성된바 지난 13년간 134 차에 걸쳐 공식 회의를 개최 하였으며, 이 밖에도 한·미 주둔군 지위 협정 시행을 위한 제반 문제를 협의하기 위해 수시로 비공식 회합을 하고 있음. 현재 합동 위원회는 11 개 분과 위원회를 운영하고 있으며, 지난 13년간 약 2,100 건의 과제를 한·미 상호 협의에 의해 원만하게 처리 하였음.

현재 합동 위원회 양측 수석 대표는 한·미 양측이 각각 7대 째 근무하고 있음.
오늘의 모임에는 박동진 외무부장관, 글라이스틴 주한미대사 및 위캄 주한 미군 사령관이 축하연설을 한다.

60

대 상 자	활 동 사 항
한·미 친선협회 매 완선 회장	- 78년 USO 건물 확장 기금 2백만원 기부
	- 76. 8. 18. 판문점 집단 살해 사건시 희생된 고 보니파스 소령 미망인 초청, 유자녀 장학금 2만불 모금 전달
	- 미군 한국 가정 초대 (년 1,000 가정, 3,000 명 목표)
	- 주한 미군산업 시찰 (1박 2일, 2박 3일)
	- 한국 근무 장병의 한·미 우호 사진 공모전
대한 주택 공사 양 택식 사장	주한 미군 주택 건설 (서울 700 세대, 오산 200 세대)
삼풍 건설 주식회사 이 준 사장	주한 미군 임대 보증 주택 운영 (서울 300 세대, 대구 72 세대)

61

SOFA 발효 제 13주년 기념 만찬 참석자

(가). 한 국 측

청 와 대	국제정치담당보좌관	김 경 원 (2)
외 무 부	장 관 (2)	
	정무차관보 (2)	
	미주 국장 (2)	
법 무 부	법무실장	강 우 영 (2)
	검찰국장	문 상 익 (2)
국 방 부	장관, 합참의장. 차 관	조 문 환 (1)
	한.미 연합사 부사령관	백 석 주 중장 (2)
	군정위 한국측 수석 대표	김 동 호 소장(2)
재 무 부	기획국장. 관세국장	권 태 원 (2)
상 공 부	통상 진흥관	김 철 수 (2)
교 통 부	항공 국장	김 철 용 (2)
관 세 청	감시 국장	양 성 범 (1)
노 동 청	노정 국장	한 진 희 (1)
경 기 원	경제개발예산심의관	박 종 근 (2)
한.미 경제협회 회장		박 충 훈 (2)

62

한·미 친선회 회장   태 완선 (1)

한·미 협회 회장   송 인상 (1)

한국 방위 산업 진흥회 부회장   유 찬우 (2)

국제 관광 공사 사장   김 좌겸 (1)

대한 주택 공사 사장   양 택식 (2)

삼풍 건설 주식회사 사장   이 준 (2)

외무부 출입 기자 간사   김 승웅 (2)

TBC   논평 위원   봉 두완 (2)

MBC   보도 국장   이 낙용 (2)

KBS   보도 국장   김 도진 (2)

Korea Times 편집 국장   유 입연 (2)

Diplomacy 발행인   임 덕규 (2)

63

(나). 미국측

주한 미 대사	H.E. W.H. Gleysteen, Jr. (2)
미 대사관	Monjo 공사 (2)
미 대사관	Clark 참사관 (2)
주한 미군 사령관	Gen. J.A. Wickham, Jr. (2)
한.미 1군 단장	LTG. E.P. Forrester (1)
주한 미군 부사령관	LTG. E.W. Rosencrans (2)
JUSMAG / K	MG. O.E. Gonzales (2)
주한 미군 참모장	MG. K.E. Dohleman (2)
제 314 항공 사단장	MG. G.A. Edwards (2)
주한 미군 해군 사령군	RADM. S.J. Hostettler (1)
주한 미군 참모 부장	COL. W.M. Skidmore (2)
연합사 연합 참모	COL. V.T. Bullock (2)
주한 미 공군 제 314 항공 사단 부 사령관	COL. T.R. Olsen (2)
주한 미군 군수처 차장	COL. B.N. Kreider (2)
주한 미군 인사 참모	COL. H.L. Daniel (2)
주한 미군 법무 참모	COL. J.A. Mundt (2)
주한 미군 관리 참모	COL. B. Peters (2)
미 대사관 1등 서기관	Mr. F.H. Misch (2)
미측 간사	Dr. C.B. Hodges (2)
미측 교체 간사	MAJ. W.A. Fedak (2)
미측 부간사	Mr. F.K. Cook (1)
주한 미군 민사처	Mr. An Chang Hun (2)
미 대사관	Mr. W.R. Perkins 2등 서기관 (2)

64

주한 미군 공병 참모	COL. W.Y. Epling (2)
주한 미군 헌병 참모	COL. R.J. Leakey (1)
주한 미군 소청 사무소	LTC. C.R. Murray (1)
주한 미군 군수처 수송 과장	COL. E.I. Hickey (2)
주한 미군 시설 공병 단장	COL. E.F. Clarke (2)
주한 미군 민사처 사회 관계 과장	Mr. G.D. Kim (2)
주한 미군 구매 처장	COL. W.A. Moore (2)
시설 구역 분과위 교체 위원장	CDR. J.C. Milkintas (1)
UNC 대변인	COL. J. A.D. Klose (2)
Stars & Stripes 한국지 부장	Mr. James Davis (1)

65

BUFFET DINNER
BY
ROK REPRESENTATIVE OF THE ROK-US SOFA
JOINT COMMITTEE AND MRS. YOO CHONG HA
ON THE OCCASION OF
THE 13TH ANNIVERSARY OF
THE ENTRY INTO FORCE OF SOFA

PROGRAM
* * * *

COCKTAILS
*
BUFFET DINNER
*
TOAST

BY
MR. YOO CHONG HA
ROK REPRESENTATIVE

AND
LTG EVAN W.ROSENCRANS
US REPRESENTATIVE
*
CAKE CUTTING
*
PRESENTATION OF PLAQUE
*
REMARKS

BY
H.E. TONG-JIN PARK
MINISTER OF FOREIGN AFFAIRS,

H.E. WILLIAM H.GLEYSTEEN JR.
UNITED STATES AMBASSADOR

AND
GEN JOHN A.WICKHAM JR.
COMMANDER, UNITED STATES FORCES KOREA

February 20, 1980
Hotel Shilla
Dynasty Hall

66

한.미 주둔군 지위협정 기구표

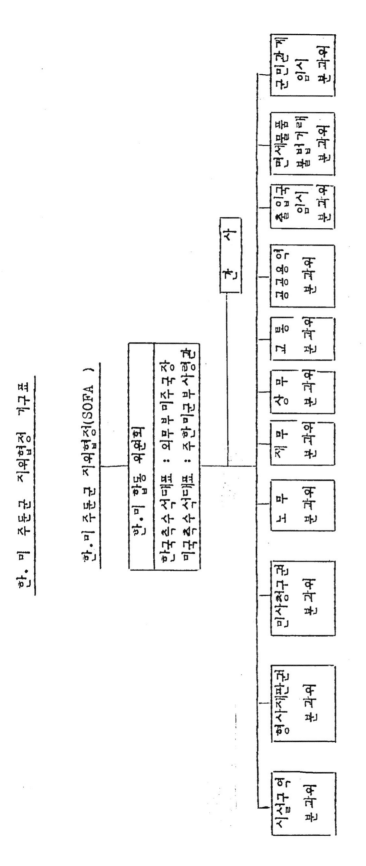

한.미 주둔군 지위협정(SOFA)

한.미 합동위원회
한국측수석대표 : 외무부 미주국장
미국측수석대표 : 주한미군사령관

분 과 위

| 시설구역분과위 | 형사재판권분과위 | 민사청구권분과위 | 노무분과위 | 재무분과위 | 상무분과위 | 교통분과위 | 공공용역분과위 | 출입국분과위 | 면세물품반출입통제분과위 | 군인판매소분과위 |

* (1) 합동위원회는 대한민국정부 및 미국정부간 전부 대표 1명과 미국정부 대표 1명을 수석대표로 하고 그 밑에 각 1명의 교체대표, 각 분과위원회 위원장과 간사들로 구성된다. 현재는 한국측 수석대표 외무부 미주국장과 주한미군 부사령관 Evan W. Rosencrans 공군중장이 양측 수석대표로 있다.

(2) 합동위원회는 양측 정부 중 어느 일방 정부대표의 요청이 있으면 회합할 수 있으나 통상 1회 정도로 상호 교차 개최하고 있으며, 개최측 측 대표가 회의를 주재한다.

"蘇팽창政策 세계平和위협"

朴外務, SOFA(韓美行協) 발효 13돌 연설

韓美軍 민간政府 뒷받침 協力관계 원만하게 進行 위컵

朴東鎭외무장관은 20일 蘇聯의 아프가니스탄 침공사태와 관련, 「蘇聯이 현재 취하고 있는 평창주의정책이 물끄럼 에碎哀수없는 앞으로의 세계평화와 유지에 국가의 자유유지에 위컵이 되고 있다」고 말했다.

朴장관은 이날저녁 新羅호텔에서 한美관계인사 1백여명이 참석한 가운데 韓·美行政協定(SOFA) 발효13주년기념만찬에서 이같이 말했으며 朴장관은 「지금의 세계는 먼저공격만하는 체제平和와는 거리가 먼 집단안보체제에 의존하고 있다」고 하면서 「한국에서 한미양국군은 민간정부의 뒷받침을 받고 있는 군사적인 韓美연합군사위협기관으로서의 안보를 다짐한다」고 밝히고 구축하는 보위막역할을 마련

朴장관은 「한국이 지금까지 어려차데 받았지만 美國의 의정책을 정책으로 반박했다.

또 끄라이스템駐韓美대사는 「한국에서 한미양국군은 민간인 정부의 뒷받침을 받고 있는 노력과 협력의 정상을 더욱 긴밀히 지키기반을 유화정책과 닉슨 정부가 취한 화해정책과 형의살림이 나날이 민간정부가 취하고 「이러한 상황계속을

정부가 보여준 기민하고 효과적인 도外의 北韓의 군사도발을 저지시켜왔다」면서 「한반도 안정을 위한 앞으로의 韓·美간 안보협력에는 아무런 문제가 없음을 확신한」고 밝혔다.

남기고 있다」고 강조했다. 「·北韓공산집단의 군사위협 朴장관은 「한국이 지금까지 어려차데 받았지만 美國의

해 줄 것이라고 말했다.

이크는 일인데 이러한 역할 위컵 끄라이스템 대사는 「80년 연설을 통해 「韓美군사협의일 무는 北韓의 전쟁도발을 억제하고 있다」고 말하고 「지난번 귀국시 靑瓦臺회정 문희의서 이말 보고했다」고 했다.

수행이 韓國정부와 민간부분에서의 협의이 만족스럽게 이루어지고 있다고 말하고 「한미양국간의 상호 협조와 긴밀한 유대가 계속 유지될것을 확신한다」고

위컵 끄라이스템장·한국 말로 80년 머에도 한·미양국간의 상호 협조와 긴밀한 유대가 계속 경우, 이를을 섬멸 수단으로

68

1980, 2, 21 중앙일보

美安保노력, 韓國에 도움 朴外務
軍은 民間政府에 依存해 美大使

朴東鎭 외무장관은 20일 저녁 「호텔新羅」에서 열린 韓美주둔군 지위협정 (SOFA) 13주년 기념만찬에서 연설을 통해 『韓美방위조약에 입각한 양국의 성공적인 안보노력은 美國의 결의와 지도력에 크게 힘입고 있다』면서 『우리가

北韓공산주의자의 새로운 도발에 직면할 때마다 美國이 언제나 신속하고 효과적으로 대응해 北韓의 험한 모험을 저지해온 사실을 모두 알아야한다』고 강조했다.

한편 「글라이스틴」 駐韓美대사는 「駐韓美軍과 韓國軍

은 民間정부의 훌륭한 업무수행에 명임이 크게 의존하고 있다』고 말하고 『양국군은 가능한 침략에 대비、방패구실을 함으로써 民間정부가 강력한 지원기능을 속할수 있도록 해주어야할것』이라고 말했다.

同盟관계 구준하게 發展 朴外務

侵略막아 民政基盤 굳게 美大使

韓美行協 13돐 만찬연설

韓美駐屯軍地位協定(SOFA) 발효 13주년을 기념하는 晩餐會가 20일저녁 新羅호텔에서 베풀어졌다.

이날 만찬에는 韓國측에서 朴東鎭외무장관 周永福 국방장관 柳炳賢合參議長 柳 纙鎬 SOFA合同委 수석대표가 美國측에서「글라이스틴」駐韓美大使 韓國側 유엔군사령관「로렌크렌」터 韓美 1軍團長「포렌스」駐韓美 1軍團長 등이 참석했다.

이날 朴외무장관은 만찬 연설에서「지난 30여년간 韓美양국은 聯合司를 창설하고 同盟관계를 구준히 발전시켜왔으며 이것은 韓半島에서의 戰爭再發을 억제 하고 效果적인 對應자세를 보임으로써 그들의 모험적 야욕을 저지시켰다」고 말했다.

「글라이스틴」대사는『韓美양국군은 분명히 韓國民間 정부의 훌륭하고 성실한 공무수행에 依存하고 있다』고 밝히고『또한 韓美양국군은 侵略의 위험을 봉쇄함으로써 民間側이 강력한 지지 기반을 구축하는것을 돕고 있다』고 밝혔다.

東北亞 平和유지에 크게 공헌했다』고 지적하고『北韓으로부터의 새로운 위협에 직면할때마다 美國은 신속 하고, 효과적인 對應자세를

기

71

72

72

73

73

14

SOFA 발효 제13주년 기념행사, 1980.2.20 221

74

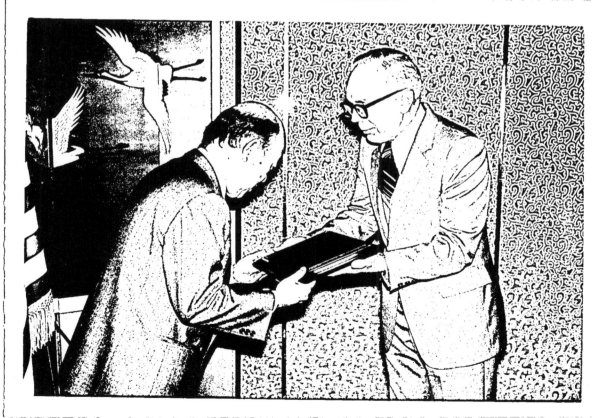

주한미군지위협정(SOFA) 관련 기타 자료

주한미군지위협정(SOFA) 관련 기타 자료

주한미군지위협정(SOFA) 관련 기타 자료

주한미군지위협정(SOFA) 관련 기타 자료

주한미군지위협정(SOFA) 관련 기타 자료

SOFA 발효 제13주년 기념행사, 1980.2.20   233

SOFA 발효 제13주년 기념행사, 1980.2.20   237

SOFA 발효 제13주년 기념행사, 1980.2.20 239

주한미군지위협정(SOFA) 관련 기타 자료

84

84

주한미군지위협정(SOFA) 관련 기타 자료

HQ UNC/ROK-US CFC
한미 연합군 사령부
Seoul, Korea
서울, 대한민국
21 February 1980
1980년 2월 21일

Mr. Yoo Chong Ha
유 종 하
Director General, Bureau of American Affairs
미 주 국 장
Ministry of Foreign Affairs
외 무 부
#1 Sejong-no, Chongno-ku
중 구, 세종로 1 가
Seoul, Korea
서울, 대한민국

Dear Mr. Yoo,

존경하는 유국장님,

I wish to thank you for the truly memorable evening of 20 February 1980.

매우 인상깊은 1980년 2월 20일 저녁에 대하여 심심한 감사를 드립니다.

Mrs. Bullock and I enjoyed the occasion immensely and appreciate you

저희 부부에게는 무한히 즐거운 시간이었으며 저희를 그 자리에 초대하여

including us as your guests.

주심을 고맙게 생각 합니다.

The entire evening was perfect in every detail, but the highlight for us

저녁 한때가 온통 완벽의 극치였음니다만, 가장 뜻 깊었던 것은 귀하의

was the opportunity to meet your charming and gracious wife. We look

아름답고 우아하신 부인을 만날 수 있었던 것입니다.

forward to another year of mutual cooperation and friendship with the

한미 행정협정 공동 위원회 위원들과의 상호 협조및 우정의 또 한해가

members of the ROK-US SOFA Joint Committee.

전개 되기를 기대합니다.

85

Again, thank you for including us in such an elegant and memorable
그도록 우아하고 뜻 깊은 저녁에 초대하여 주심을 다시금 감사 드립니다.
evening.

Respectfully,

VICTOR T. BULLOCK
빅타 티. 벌럭
Colonel, GS
대령, 일반참모

2

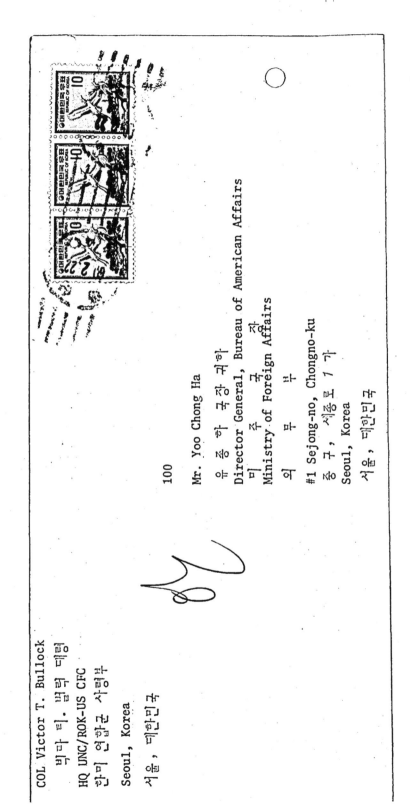

COL Victor T. Bullock
빅타 티. 불락 대영
HQ UNC/ROK-US CFC
한미 연합군 사령부
Seoul, Korea
서울, 대한민국

100

Mr. Yoo Chong Ha
유 종 하 국 장 귀하
Director General, Bureau of American Affairs
미 주 국
Ministry of Foreign Affairs
외 무 부
#1 Sejong-no, Chongno-ku
종 구 , 세종로 1 가
Seoul, Korea
서울 , 대한민국

21 February 1980

Dear Mr. Yoo,

On behalf of both Billie and myself I want to
thank you for the absolutely delightful evening
on the occasion of the 13th Anniversary of the
Status of Forces Agreement. From start to
finish everything was handled beautifully. The
magnificant buffet was undoubtedly the best we
have enjoyed in a very long time.

Your wife is a lovely hostess and you certainly
did yourself proud as the host and master of
ceremonies.

Thank you again.

Sincerely,

EVAN W. ROSENCRANS
Lieutenant General, USAF
Deputy Commander

Mr. Yoo Chong Ha
Ministry of Foreign Affairs
Seoul, Korea

22 February 1980

Mr Yoo Chong Ha
ROK Representative
SOFA Joint Committee
Seoul, Korea

Dear Mr Yoo

I wish to express my deep gratitude and appreci-
ation to you and Mrs Yoo for inviting us to the
magnificent dinner which you hosted in commemora-
tion of the 13th anniversary of the Korea - U.S.
Status of Forces Agreement on 20 February.

Mrs Edwards and I both thoroughly enjoyed the
delicious food, the delightful entertainment
and the opportunity of conversing with you and
your distinguished guests in the beautiful sur-
roundings of the Hotel Shilla.

Again, many thanks for your kindness and your
hospitality. It was an evening which Mrs
Edwards and I will both long remember. I look
forward to an even closer association with you
in the future.

With great respect and deep appreciation

GEORGE A. EDWARDS, JR, Major General, USAF
Commander, 314th Air Division

Wickham Gleysteen laud SOFA

SEOUL (PS&S) — Gen. John A. Wickham Jr., commander of the Combined Forces Command, and U.S. Ambassador to Korea William H. Gleysteen Jr. joined in praising the joint Status of Forces Agreement Committee's efforts in addressing the problems of U.S. military living in Korea.

At a ceremony last week marking the 13th anniversary of the agreement held here, Gleysteen said, "The construction of new housing areas in Seoul, Osan and Taegu (with the assistance of the SOFA Committee) will make it possible for the U.S. side to provide greater continuity within its force structure, an improvement which we believe will contribute significantly to our major role in the defense of the republic."

Continuity in the force structure, Wickham said, is a major concern. "We must continue to obtain the best professional military personnel for assignment to Korea. A strong defense posture requires dedicated manpower."

Wickham continued, "A Korean assignment must appeal to our servicemen and women and their families. The assignments to Korea must compete favorably with other U.S. military assignments in the world."

The actions of the Korean government in building housing projects for the exclusive use of U.S. forces are of great assistance, he said.

South Korean Foreign Minister Park Tong Jin said, "In operating the Status of Forces Agreement, I believe what matters is not how many problems we face, but how these problems are addressed and resolved."

More than 2,000 cases have been handled by the SOFA Committee since the agreement was put into force in 1967. They include such problems as facilities, taxation, labor and civil and criminal matters, according to the foreign minister.

Korea Stars and Stripes,
Sunday, February 24, 1980 P.3

90

5

방 명 록

91

William H. Gleysteen Jr.

정 리 보 존 문 서 목 록

기록물종류	일반공문서철	등록번호	38654	등록일자	2011-11-03
분류번호	729.4	국가코드		보존기간	영구
명 칭	SOFA 관련 계약 분쟁, 1991-92				
생 산 과	북미2과	생산년도	1991~1992	담당그룹	
내용목차	* 대림기업(주) 와 주한미군 계약처와의 계약에 관한 손해배상 청구소송				

0001

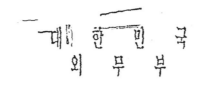

대 한 민 국
외 무 부

〈720-4045〉   1991. 2 . 13.

법규 20420-   6872

수신 서울민사지방법원장

제목 사실조회촉탁회신

　　　귀 법원 민사 제1부의 사실조회촉탁의뢰(1991.1.7.)와 관련. 당부가
주미대사관을 통한 사실조회 결과와 주권면제 이론의 현실적 적용에 관한
미국의 관행 및 관련판례 등에 관한 당부 검토내용을 별첨 송부하오니 참고
하시기 바랍니다.

첨부: 1. 동 검토의견 1부.

　　　 2. 미연방 민사소송규칙 관련조항 사본 1부.

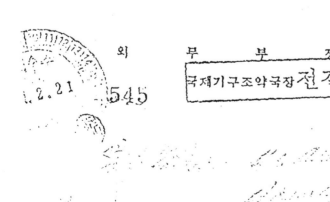

0002

Ⅰ. 촉탁의뢰 내용

사 건 90 가합 4223 손해배상(기)

원 고 대림기업(주)

피 고 미합중국

1. 미국(국가)을 당사자로 하는 소송에서 미국을 대표하는 자가 국무
   장관인지, 아니라면 위와 같은 경우 미국을 대표하는 자가 어느
   부서의 누구인지.?

2. 대한민국에서 미국을 당사자로 제기된 소송에서 주한미국대사가
   미국을 대표하여 소송행위를 할 수 있는지.

Ⅱ. 미국의 국가소송 관련 법규 및 관행 검토

1. 미국을 당사자로 하는 소송에서 미국을 대표하는 소송주체

   ○ 영장송달(service of process)에 관한 「미연방민사소송규칙」의
     규칙4(d)(4)에 의하면, 소환장(summons) 및 소장(complaint)의
     사본 1통씩을 소송이 제기된 지역을 관할하는 연방지방검사나
     검사보 또는 동 검사에 의하여 지명된 서기에게 전달함과 동시에
     위 소환장 및 소장의 사본 1통씩을 워싱톤에 있는 미국법무장관
     (Attorney General)에게 등기우편으로 보냄으로써 송달이 이루어
     진다고 규정하고 있음.

   ○ 우리나라의 경우 "국가를 당사자로 하는 소송에 관한 법률"이라는
     별도의 법이 제정되어 있어 국가소송을 규율하고 있지만, 미국의
     경우에는 이에 관한 별도의 법령은 없고 위 민사소송규칙이 있을
     뿐임.

0003

o 미국에 있어서는, 상기 규정에서 보는 바와 같이, 국가(연방정부)를
   당사자로 하거나 참가자로 하는 소송의 경우 우리나라의 경우와
   마찬가지로 미연방정부의 법무장관이 미국을 대표하는 소송의
   주체가 됨.

2. 미국법원에서 외국을 상대로 한 소송의 인정

   가. 제한적 주권면제론의 채택

   o 주권면제(sovereign immunity)에 관한 국제법이 과거의
      절대적 주권면제론에서 제한적 주권면제론으로 바뀜에 따라,
      미국은 1952년 소위 테이트 서한(Tate Letter)을 통하여
      제한적 면제론을 최초로 도입하였고, 1976년에는 외국주권
      면제법(Foreign Sovereign Immunity Act of 1976)을 제정
      하여 미국법원에서 미국이외의 외국을 상대로 민사소송을
      제기할 수 있도록 함.

   o 제한적 주권면제론의 핵심적 내용은 외국 또는 외국의 기관이
      행한 행위가 주권적, 공적(jure imperii) 행위인 경우에는
      미국법원의 재판관할권에서 면제되지만, 사적 또는 상업적
      (jure gestionis) 행위에 해당하는 경우에는 미국법원의
      재판관할권에 복종하여야 한다는 것임.
      - 이 경우 외국의 행위를 구분하는 기준은 행위의 목적이
        아닌 행위의 성질이어야 한다고 하여, 계약형태의 합의의
        존재여부, 사인에 의하여서도 행하여질 수 있는 행위인지
        여부가 기준이 되고 있음.

0004

나. 외국주권면제법(약칭 FSIA 라고 함)

o FSIA(28 U.S.C. §§ 1602-1610)는 외국 또는 외국과 관련된 실체가 미국법원의 재판권에 복종하는 상황을 자세히 규정하고 있는 연방법임.

o FSIA § 1604은 외국은 일반적으로 미국법원의 재판관할권에서 원칙적으로 면제된다고 규정하는 한편, §§ 1605-1607 에서 다음과 같이 면제되지 않는 6가지 경우를 명시하고 있음.
- i) 외국이 명시적 또는 묵시적으로 면제를 포기한 경우
- ii) 미국과 적절한 관련이 있는 상업적 활동
- iii) 외국이나 그 공무원 또는 피고용인이 미국에서 신체적 상해, 사망 또는 재산상의 손실 등을 야기하는 비상업적 불법행위를 행한 경우
- iv) 외국이 국제법에 위반하여 재산을 취득하고 그 재산 또는 그 재산과 교환된 재산이 미국내에 있는 경우
- v) 미국에 있는 부동산상의 권리와 상속, 증여에 의하여 취득된 미국내의 재산권과 관련된 소송의 경우
- vi) 미국과 특별한 관련성을 가지는 유효한 중재합의를 한 경우

다. 소장송달

o FSIA § 1608(a)은 미국법원에서 외국을 상대로 제기된 소송에 있어서의 영장(소장과 소환장, 때로는 소송통지서 등)의 송달방식을 규정하고 있는 바, 외국을 상대로 한 경우와 외국의 기관을 상대로 한 경우를 달리 규정하고 있음.

0005

o 외국을 상대로한 경우의 영장송달 방식은 다음과 같음.

ⅰ) 원고와 피고국간에 송달을 위한 특별약정에 따르는
방식

ⅱ) 재판서류 및 재판외서류의 해외송달에 관한 헤이그협약
(Hague Convention on the Service Abroad of Judicial and
Extrajudicial Documents)과 같은 국제협약에 따르는 방식

ⅲ) 위의 두가지 방식이 불가능한 경우 당해 외국의 외무부
장관에게 등기우편으로 보내는 방식(그러나 미국국무부는
이 경우 미국법원은 관계국에게 직접 등기우편으로 송달
하여서는 안된다고 조언하고 있음. 이러한 직접 등기우송은
상대국 주권에 대한 침해라고 봄.)

ⅳ) ⅲ)의 송달방식을 30일이내에 행할 수 없는 경우
외교경로를 통하여 송달하는 방식(이 경우 법원서기는 소장,
소환장과 통지서의 각 사본 2통을 등기우편으로 미국국무
장관에게 보내고 다시 국무장관은 동 서류의 사본 한통을
외국에게 외교경로를 통하여 전달하고 법원서기에게 동
서류가 전달되었다는 내용의 외교각서의 확인사본 1통을
송부함.)

3. 외국법정에서 미국을 상대로 한 소송의 인정여부

가. 제한적 주권면제론의 적용

o 외국법정에서 외국인 또는 외국법인이 미국국가 또는 정부를
상대로 제기한 소송에 미국정부가 응소한 기록은 수없이
많음. 물론 대부분의 경우 주권면제의 법리를 원용하여
당해 외국법원이 재판관할권을 가지고 있지 않는다는 것을

0006

일반적인 국가관행은 제한적 국가면재론의 입장이므로
미국의 주권면재의 항변이 외국법정에서 항상 받아들여지지는
않았으며 미국이 패소한 경우도 적지 않음.

나. 사례

○ Tsakos v. Government of the United States of America
(스위스, 제네바노동재판소, 1972.2.1.)

- Tsakos 는 제네바소재 국제기구에 파견된 미국사절단에
고용되어 전시회조직을 위하여 일하던 중 분정이 발생
하자, 제네바노동재판소에 미국정부를 상대로 미지불된
봉급과 부당해고를 이유로 하여 재소함.

- 미국은 주권면재를 주장하였고 Tsakos는 동 계약이
사법적인 성질의 것이라고 주장함.

- 결국 동 재판소는 재판관할권이 있다고 판시함.

○ Secretary of State of U.S.A. v. Gammon-Layton
(파키스탄, 서파키스탄 고등법원, 1970.11.2.)

- Gammon과 Layton 두사람은 미국과의 서면계약에 의하여
미국대사관을 위한 건물을 건축하였으나, 계약에 관하여
분정이 발생하자, 이들은 중재조항을 원용하여 승소
중재판정을 획득하였고, 이를 집행하기 위하여 법원에
명령을 구함.

- 그러나 미국은 미국이 파키스탄 민사소송법 제86조
(외국의 통치자나 대사를 상대로 한 소송은 파키스탄
정부의 동의가 있는 때에만 재기될 수 있다)의 규정에
의하거나 또는 일반국제법에 의하거나 파키스탄 법원의
재판관할권에서 면재된다고 주장함.

0007

기각이유 ① 파키스탄 민사소송법 제86조는 단지 외국의
통치자를 상대로 한 소송에만 적용되는
것이며, 외국이라는 국가자체를 상대로 한
소송에는 적용되지 않음.

② 동 제86조는 법원소송과는 구별되는 중재
절차에 적용되지 아니함.

③ 파키스탄법원이 해석하는 국제법에 의하면
국가에 대한 절대적 주권면제를 부여하지
않으며, 절대적 주권면제란 더 이상
국제공동체에서 일반적으로 수용될 수 없음.

다. 소송수행자

o 외국법정에서 미국을 상대로 한 소송이 제기된 경우, 미국을
대표하여 소송을 수행하는 자는 위에서 언급한 바와 같이
미국법무장관이 될 것이나, 실제로 소송절차에서는 법무부
장관이 선임한 소송대리인(주로 현지의 변호사)에 의하여
소송이 수행되고 있음.

o 이 경우 외국주재 미국대사는 미국정부가 특별히 소송수행자로
선임하지 않는 한, 소송행위를 맡지 아니함.

o 외국인이나 외국법인이 미국을 상대로한 소송에서 현지
미국대사를 소송상대로 지정하는 경우, 외교관계에 관한
비엔나협약 제31조에 의한 외교적 면제와의 마찰이 문제가 됨.

o 외교관의 재판관할권의 면제는 외교관 개인이 포기할 수는
없고 파견국만이 이를 포기할 수 있을 뿐이고, 이 경우
포기는 명시적이어야 함(동 협약 제32조 제1.2항)

0008

4. 요약

가. 우리나라에서 미국을 당사자로 하는 소송에서 미국을 대표하는
   자는 미국법무장관이 됨.

나. 우리나라에서 미국을 당사자로 제기된 소송에서 주한 미국대사는
   미국정부가 소송대리인으로 선임하지 않는 한 소송수행자가 될
   수 없고, 일반적으로는 미국 법무장관이 선임한 소송대리인이
   실제 소송수행자가 됨.

0009

1. CONTRACT No.	2. EFFECTIVE DATE	3. REQUISITION/PURCHASE REQUEST/PROJECT NO.	4. CERTIFIED FOR NATIONAL DEFENSE UNDER BSDA REG. 2 AND/OR DMS REG. 1. RATING
XCANAF-80-C-V065	15 Mar 80	Ltr, 3 Jan 80 (NAF 8409-80)	

5. ISSUED BY	CODE	6. ADMINISTERED BY (if other than block 5)	CODE	7. DELIVERY FOR DESTINATION
Cdr, US Army Korea Contracting Agency Sup., Sub., & NAF Br., COD APO S. F. 96301				☒ FOR DESTINATION ☐ OTHER (See below)

8. CONTRACTOR CODE NAME AND ADDRESS	FACILITY CODE	9. DISCOUNT FOR PROMPT PAYMENT
Dae Lim Industrial Co, Ltd. Rm 508 YWCA Bldg, #1-3, 1ka, Myong-Tong, Chung-ku, Seoul, Korea (778-8054)		N/A
		10. SUBMIT INVOICES (4 copies unless otherwise specified) TO ADDRESS SHOWN IN BLOCK

11. SHIP TO/MARK FOR	CODE	12. PAYMENT WILL BE MADE BY	CODE
See Schedule		Commander FAO-K (CAO) APO SF 96301	

13. THIS PROCUREMENT WAS ☐ ADVERTISED, ☐ NEGOTIATED, PURSUANT TO ☒ XXXXXXXXXXXX AR 230-1, para 1-19 and ☒ XXXXXXXXXXXX DA Pamphlet 27-154

14. ACCOUNTING AND APPROPRIATION DATA

No appropriated funds of the United States shall become due or be paid the contractor by reason of this contract.

THE FOLLOWING CHECKED SECTIONS ARE CONTAINED IN THE CONTRACT

X	SEC	TABLE OF CONTENTS	PAGE	X	SEC		PAGE
		PART I - GENERAL INSTRUCTIONS			G	Preservation/Packaging/Packing	
	A	Cover Sheet (DD Form 1707)			H	Deliveries or Performance	3
	B	Contract Form and Representations Certifications, (SF 26)	1		I	Inspection & Acceptance	3
					J	Special Provisions	3 - 9
	C	Instructions, Conditions, and Notices to Offerors			K	Contract Administration Data	9 - 10
						PART III - GENERAL PROVISIONS	
	D	Evaluation & Award Factors			L	General Provisions	G1-G6
		PART II - THE SCHEDULE				PART IV - LIST OF DOCUMENTS AND ATTACHMENTS	
	E	Supplies/Services & Prices	2		M	List of Documents, Exhibits, and Other Attachments	G7-G8
	F	Description/Specifications	2				

Operation of Hi-Fi, Stereo Equipment, Viedo and Audio Ship for the Naija Hotel, Armed Forces Recreation Center, US Army Garrison, Yongsan, APO96301.

	TOTAL AMOUNT OF CONTRACT	₩$30,012.00

CONTRACTING OFFICER WILL COMPLETE BLOCK 23 OR 26 AS APPLICABLE

23. ☒ CONTRACTOR'S NEGOTIATED AGREEMENT (Contractor is required to sign this document and return 3 copies to issuing office.) Contractor agrees to furnish and deliver all items or perform all the services set forth or otherwise identified above and on any continuation sheets for the consideration stated herein. The rights and obligations of the parties to this contract shall be subject to and governed by the following documents: (a) this award/contract, (b) the solicitation, if any, and (c) such provisions, representations, certifications, and specifications, as are attached or incorporated by reference herein. (Attachments are listed herein.)

26. ☐ AWARD (Contractor is not required to sign this document.) Your offer on Solicitation Number _____ , including the additions or changes made by you which additions or changes are set forth in full above, is hereby accepted as to the items listed above and on any continuation sheets. This award consummates the contract which consists of the following documents: (a) the Government's solicitation and your offer, and (b) this award/contract. No further contractual document is necessary.

23. NAME OF CONTRACTOR	24th US Army NAF/MWR Activities
Dae Lim Ind Co Ltd.	
(Signature of person authorized to sign)	(Signature of Contracting Officer)

24. NAME AND TITLE OF SIGNER (Type or print)	25. DATE SIGNED	26. NAME OF CONTRACTING OFFICER (Type or print)	27. DATE SIGNED
CHANG, KYO-CHOL, Chair Man		LEONARD LAZOFF	0010

SECTION E - Services

Item No.	Service	Fixed Fee

0001   Operate an electronic equipment and stereo
shop in the Naija Hotel. Merchandise to be
sold shall consist of Hi-Fi, Stereo
Equipment, Video Equipment, and Various
Electronic Equipment that are manufactured
locally for export to the United States.
Merchandise shall carry a customer warranty
and meet USA standards.

$ 2,501.00
Monthly Rent

SECTION F - Description

1. Scope of Services:

a. Contractor shall furnish services, merchandise, and supplies
required to operate the shop listed in the Schedule, Section E.

b. The location of the facility is the Naija Hotel R&R Center,
Bldg. No. P-2 downtown Seoul, in the #7 Naija-dong, Chongro-ku, Seoul
Korea.

c. Contractor personnel shall communicate with customers in the
English language.

d. Contractor shall ensure that merchandise presented for sale
shall be neatly displayed and that the premises are clean and orderly.

0011

SECTION H - Performance

1. Contract Period: The contract period is for one year to begin on the effective date of 1 February 1990, or settlement date, whichever is later.

2. Hours of Operation: The hours of operation shall be from 1000 hours to 2200 hours, Monday through Sunday (seven days a week). No holiday shall be observed by contractor personnel unless mutually agreed upon between the contractor and the General Manager of the Naija Hotel R&R Center, 72 hours prior to the expected holiday.

SECTION I - Inspection and Acceptance

1. The General Manager of the Naija Hotel, R&R Center, U.S. Army Garrison, Yongsan, APO 96301, shall retain physical control over the facilities and fund furnished equipment. He shall coordinate with contractor on prices to be charged.

2. The General Manager of the Naija Hotel, as the appointed Contracting Officer's Representative, reserves the right to inspect contractor's operation and sales accounts at any time deemed necessary.

3. Contractor's operation may be audited by the Fund or any audit agency employed by the Fund, not less frequently than semiannually (AR-230-60, para 9-6(d)(5), and para 9-6(d)(6)).

SECTION J - Special Provisions

1. Authorized Customers: Contractor shall render services only to authorized personnel. Authorized personnel shall be defined by the General Manager of the Naija Hotel.

2. Authorized Services: Contractor shall render only those services specified in Part II, Section E hereof.

3. Authorized Prices:

a. Within ten (10) days after award of this contract and prior to selling any merchandise or services under this contract, contractor shall submit to the General Manager of the Naija Hotel, a price list for merchandise proposed to be sold at the Naija Hotel. Contractor and the General Manager of the Naija Hotel shall negotiate and reach agreement on a price for each item of merchandise or service, prior to that item or service being sold. The General Manager of the Naija Hotel shall then sign the price list noting his agreement. After the prices are initially approved, contractor shall submit a price list of items at least quarterly and before introducing new items of merchandise or services, he shall receive written agreement on prices from the General Manager of the Naija Hotel prior to selling the item or service. During the period of the contract, the prices of items or services shall conform to the approved price list and shall be no greater than the market prices of the items or services performed. Merchandise shall have a selling price sticker attached to it.

0012

b. Contractor shall maintain the approved price list of articles or services to be furnished. This list shall state that it has been approved by the General Manager of the Naija Hotel and this price list shall be conspicuously posted at the place of business.

4. Changes in Prices and Fee: Contractor fixed fee shall remain firm for the period of the contract, or any renewal, unless changes are authorized by the Contracting Officer, NAF Branch, CFD, USAEHCA. Merchandise or services prices, if changed, shall conform to the price list as approved by the General Manager of the Naija Hotel.

5. Quality of Merchandise and Customer Complaints: Merchandise sold or services performed shall be a consistently high quality. Contractor shall adhere to the fund policy of customer satisfaction guaranteed. Disagreements that cannot be resolved between contractor and customer shall be referred by contractor to the General Manager of the Naija Hotel. Customers shall be treated in a courteous manner and without discrimination to rank, race, sex, creed, color or national origin. When items are returned due to inferior quality or workmanship, contractor shall either refund the money, redo services, or replace the merchandise, as the customer requests.

6. Restrictions: Contractor shall not, in or about premises or the military installation, engage in or permit gambling or the use of any device which savors of gambling, such as punch cards, or slot machines; sell or deal in or permit to be sold any form of intoxicating beverages, drugs, depressants, stimulants or hallucinogens; loan money to customers or to others; or sell merchandise or services on credit.

7. Abandoned Customer Property:

    a. Customer property abandoned with contractor shall be turned over to the fund within the same day on which the property was left with contractor. Before turning over the property contractor shall make a diligent effort to locate the owner.

    b. Customer property turned over to the fund shall be disposed of by the fund in accordance with pertinent Army and Air Force regulations and fund's directives relating to abandoned property.

8. Risk of Loss:

    a. Contractor assumes the risk of loss of receipts until delivered to the custodian of fund. Custodian of fund shall accept only receipts in U.S. currency and/or personal U.S. check.

    b. Contractor assumes the risk of loss or damage to his stock, equipment, fixtures and property.

0013

9. Signs:

Contractor shall provide sign boards which include the following information:

    a. Identification Sign

    b. Emergency Contact Sign

    c. Hours of Operation

Signs shall be approved by the fund custodian prior to posting and shall be posted in conspicuous places.

10. Indebtedness: Contractor shall pay promptly and in accordance with the terms thereof, indebtedness incurred in connection with the performance of this contract.

11. Personnel:

    a. Qualification of Employees: Contractor shall provide a sufficient number of qualified employees possessing the necessary health certificates in compliance with the rules and regulations as required by the fund and the US Government. For the efficient performance of this contract, employees shall be subject to a physical examination and immunization prior to and during the performance of the contract.

    b. Contractor shall procure and maintain, at his own cost and expense, a distinctive uniform and shall require his employees to wear the uniform throughout the hours of operation. Contractor shall provide sufficient number of uniforms to employees to insure that they are kept clean, neat, in good repair, and properly fitted. Uniforms that are unpresentable or worn beyond repair shall be expeditiously replaced.

    c. Contractor and his employees are subject to security clearance procedures and shall obtain such installation passes and permits as are provided for in installation regulations.

    d. Contractor and his employees shall obey the national and local laws and regulations of the country in which the contract is being performed, and the regulations, orders and directives applicable to the military installation upon which the contract is being performed.

    e. If, in the opinion of the fund custodian, the conduct or efficiency of contractor or any of his employees interferes with proper service or proper discipline, or if contractor or any employee fails to meet prescribed health standards, or if contractor or any employee fails to obtain or loses a required security clearance or installation pass or permit, or if contractor or any employee fails to comply with laws

0014

or regulations referred to above, the fund custodian may at his discretion, direct contractor to remove the employees subject to the approval of the contracting officer (in which event contractor shall effect such removal), or terminate this contract for default pursuant to paragraph 7, General Provisions.

f. Contractor is responsible for supervision over his employees to insure that their actions are in accordance with the terms of this contract and for handling all problems which may arise in this operation.

g. Contractor's employees shall have a working knowledge of the English language, sufficient to perform their duties, be well groomed, wear conservative makeup, maintain haircuts and in general, conform to the standards prescribed by the military services in regard to appearance. In addition, they shall be courteous, prompt and provide efficient service.

h. Contractor employees shall wear a plastic name plate, clutch back, 3/4" x 3" with 1/4" white letters indicating the employee's family name in the English alphabet. The name plate shall be worn over the left breast.

12. Internal Control:

a. Accounting procedures involving concessionaire activities shall be in compliance with standards prescribed in AR 230-65.

b. Contractor shall keep a complete and accurate account of concession transactions and maintain methods of internal control to allow fund custodian to accurately certify sales revenues for ROK Tax purposes only.

13. Utilities: Contractor shall be furnished required utilities without charge. Contractor shall be provided with a class "B" army telephone by the fund on a reimbursable basis.

14. Maintenance: Contractor shall keep the premises clean, orderly, and perform regular housekeeping, to the satisfaction of the fund custodian. Contractor shall comply with installation fire, sanitation, and safety regulations and shall take prompt corrective action on reports of violations thereof.

15. Buildings, Fixtures and Improvements:

a. Wherever the word "fixtures" appears in this contract it shall be interpreted to mean the fittings attached to the premises and considered legally as part of the premises, such as light fixtures.

b. Fund shall repair and maintain fund furnished fixtures and fund furnished premises, which includes interior decorating.

c. Contractor shall furnish, install, move, maintain, repair and replace contractor furnished fixtures at his own expense.

-3-

0015

d. Building improvements to fund furnished premises shall have prior approval from General Manager, Naija Hotel, and from AFS, Yongsan. Contractor shall be required to submit blueprints of proposed improvements along with their request. Building improvements shall be made at the expense of contractor.

e. Contractor investment in fixtures and/or building improvements to be used in the performance of this contract is a business risk which contractor shall assume. Title to contractor furnished fixtures shall remain with contractor. It is expressly understood and agreed that the United States, the Departments and Fund are not and shall not be liable for costs of contractor investments in fixtures and building improvements in the event of termination of this contract or expiration of this contract without renewal.

16. Equipment and Furniture:

a. Fund shall not furnish fund owned equipment or furniture to contractor for the performance of services herein specified.

b. Contractor shall furnish, install, move, maintain, repair and replace contractor furnished equipment and furniture at his own expense.

c. Contractor furnished equipment and furniture shall be approved by General Manager, Naija Hotel, prior to being used in the performance of this contract.

d. Contractor investment in equipment and furniture to be used in the performance of this contract is a business risk which the contractor shall assume. Title to contractor furnished equipment and furniture shall remain with contractor. It is expressly understood and agreed that the United States, the Departments and Fund are not and shall not be liable for costs of contractor investments in equipment and furniture in the event of termination of this contract or expiration of this contract without renewal.

17. Supplies and Inventory: Contractor shall furnish at his expense merchandise inventory, tools of the trade, supplies and materials required for the efficient operations of the activity.

18. Settlement of Accounts upon Termination or Expiration:

Upon termination of this contract under other contract provisions contained herein, or expiration of contract period, the following requirements shall be fulfilled;

a. Contractor shall promptly settle his account with fund; yield up fund furnished premises and fixtures in as good order and condition as when the contract commenced, ordinary wear and tear excepted; surrender installation passes for himself and his employees; and complete settlement of customer claims satisfactorily.

0016

b. Contractor shall promptly remove contractor owned property and supplies from the installation. Upon failure to do so the fund custodian may cause the contractor's property to be removed and stored in a public warehouse at contractor's expense. If contractor is indebted to the fund, the contractor authorizes the fund custodian to take possession of contractor's property and dispose of same by public or private sale without notice, and satisfy out of the proceeds of sale, the cost of sale and contractor's indebtedness to the fund.

19. Option to Extend the Term of the Contract: This contract is renewable, at the option of the fund, by the contracting officer giving written notice of renewal to contractor within the period specified in the schedule; provided, that the contracting officer shall have given preliminary notice of the funds intention to renew at least sixty (60) days before this contract is to expire. (Such a preliminary notice shall not be deemed to commit the fund to renewals.) If the fund exercises this option for renewal, the contract as renewed shall be deemed to include this option provision. However, the total duration of this contract, including the exercise of options under this clause, shall not exceed five (5) years.

The contracting officer shall give written notice of renewal fifteen (15) days or more before the contract would otherwise expire.

20. Government: As used herein or in references, the term "Government" means nonappropriated fund activities of the Department of the Army.

21. Insurance:

Contractor shall procure and maintain at its own cost and expense, from an insurance company or companies acceptable to the Fund Custodian, insurance coverage as set forth below and shall furnish the Fund Custodian and the contracting officer with certificates of insurance evidencing that such insurance is in effect. Not less than ten (10) days prior notice shall be given to the Fund Custodian and the contracting officer by the contractor in the event of modification, cancellation or nonrenewal of such insurance coverage. Public Liability Insurance contracts shall name the nonappropriated fund activity and the United States of America as co-insured parties, in addition to concessionaire, with a severability of interest clause, with respect to claims, demands, suits, judgments, costs, charges and expenses arising out of or in connection with losses, damages, or injuries resulting from the negligence or other fault of contractor, his agents, representatives and employees.

a. Workmen's Compensation Insurance and Employer's Liability Insurance: Aside from Host Country Requirements as to the minimum number of employees, contractor's insurance coverage hereunder shall comply with the requirements and benefits established by the Ministry of Finance of the Republic of Korea.

b. Comprehensive General Liability Insurance: Minimum limits of fifty thousand dollars ($50,000.00) for injury to or death of each person, one hundred thousand

8

0017

dollars ($100,000.00) for each accident or occurrence for property damage liability.

c. Contractors operating vehicles on the military installation for any purpose, whether or not owned by them (owned by them and operated by another) shall provide Automobile Bodily Injury and Property Damage Liability Insurance with minimum limits as required by EA Reg. 190-1. Contractor shall provide non-ownership Automobile Liability Insurance with limits as aforementioned if their employee(s) operate vehicles not owned by   contractor but which are used in the conduct of   contractor's business.

The insurance requirements prescribed above are stated in equivalent won denomination at the exchange rate which is in effect as of contract date. In the event that the won/dollar rate in effect at the time of the contract changes,   contractor shall nevertheless maintain insurance in an amount equal to the dollar value stated above.

22. Liabilities Taxes and Limitation: Contractor assumes complete liability for   taxes applicable to the property, income, and transactions of contractor.   The limitations imposed upon the sales and services, which may be provided by open messes, apply equally to open mess contractors.

SECTION K - Contract Administration Data

1. Sales Accounting Procedure: Sales transactions shall be conducted either in US currency, personal US check or in Korean won. Personal checks received from the customer shall be made payable to the Naija Hotel AFRC. However, should a check be received by the custodian payable to the Fund, payment of which is refused by the payor's bank, such check shall not constitute a valid receipt and the record or receipts shall be adjusted accordingly.

2. Fee Payment Procedure:

a. At the close of each business day contractor shall turn in the following:

(1) All sales receipts made in US currency and/or personal US check.

(2) Sales Clerk's Daily Report:
This report shall be made in triplicate. Fund custodian or his duly authorized/designated cashier shall, in the presence of   contractor, verify the amount of receipts, sign and return one copy of the Sales Clerk's Daily Report, as a receipt for monies turned in.

b. Fund shall reimburse contractor an amount equal to the total daily receipts turned in during Fund fiscal period less   amounts due and payable to Fund by contractor. Payment to contractor shall be made twice monthly by Fund directly to contractor in won at the official US Government exchange rate on the date of payment.

c. Contractor shall pay Fund the full amount of said fee no later than the last day of the month for which payment is due. For periods less than one (1) month this amount shall be prorated at the rate of 1/30 per day.

3. Accounting (AR 230-65, para 7-2d): Separate physical inventories will be made of fund and Government owned equipment at the time the concessionaire accepts the premises. Subsequently, physical inventories will be made every 6 months and/at the date the agreement is terminated.

0019

PART III - GENERAL PROVISIONS

SECTION L - General Provisions

1. General Provisions, Nonappropriated Fund Supply and Services Contracts, DA Form 4074-R, dated 1 May 73 is attached hereto and made a part thereof.

2. Alterations in Contract:

The following alterations have been made in the provisions of this contract, which are set forth in DA 4074-R (1 May 73).

The following clauses are deleted in their entirety:

    (1) Clause No. 1, "Definitions".

    (2) Clause No. 2, "Nonappropriated Fund Activity".

    (3) Paragraph b, Clause No. 11, "Disputes".

    (4) Clause No. 12, "Convict Labor".

    (5) Clause No. 17, "Communist Areas".

    (6) Clause No. 18, "Buy American".

    (7) Clause No. 22, "Labor Provisions".

3. Additional Provisions:

The following additional provisions are incorporated herein and are set forth in full.

    (1) Clause No. 1, "Definition".

    (2) Clause No. 17, "Rhodesia and Certain Communist Areas".

    (3) Clause No. 35, "Endorsement and/or Advertisement".

    (4) Liability and Security.

    (5) Exemption from Korean Taxes for POL Products Used on this contract.

    (6) Exemption from Korean Customs Taxes for Items Used on this contract.

    (7) Exemption from Korean Taxes for Value Added Taxed Items Used on this contract.

    (8) Exemption from Korean Taxes for Special Excise Taxed Items Used on this contract.

    (9) Tax Information Clause, 1 July 77.

0020

G-

GENERAL PROVISIONS
NONAPPROPRIATED FUND SUPPLY AND SERVICE CONTRACTS
For use of this form, see DA Form 27-154, the proponent agency is the OJCSPLR.

FUND NAME AND ADDRESS	CONTRACTOR NAME AND ADDRESS
Same as block #14	Same as block #8

1. DELETED
2. DELETED
3. INSPECTION AND ACCEPTANCE
4. VARIATION IN QUANTITY
5. PAYMENTS
6. DISCOUNTS
7. TERMINATION FOR DEFAULT
8. TERMINATION FOR CONVENIENCE
9. CHANGES
10. EXTRAS
11. DISPUTES
12. DELETED
13. OFFICIALS NOT TO BENEFIT
14. CONVENANT AGAINST CONTINGENT FEES
15. CONVENANT AGAINST GRATUITIES
16. FUND PROPERTY
17. DELETED

18. DELETED
19. PERMITS AND LICENSES
20. ASSIGNMENT OF RIGHTS
21. TAXES
22. LABOR PROVISION
23. EMPLOYEES
24. DISCRIMINATION
25. NEW MATERIAL
26. PRICE CONTROL
27. ACCIDENT PREVENTION, FIRE PREVENTION, AND SANITATION
28. INSURANCE
29. SAVE HARMLESS
30. COMMERCIAL WARRANTY
31. NON-WAIVER OF DEFAULTS
32. SUBJECT TO REGULATIONS
33. MODIFICATION AND ADDITIONS
34. EXAMINATION OF RECORDS

1. DEFINITION
"Contracting Officer" means the person executing or administering this contract on behalf of the nonappropriated fund which is the Fund herein, or his successor or successors.

2. NONAPPROPRIATED FUND ACTIVITY
The Fund herein is a nonappropriated fund activity of the Department of the Army. No appropriated funds of the United States will become due, or be paid, the Contractor by reason of this contract.

3. INSPECTION AND ACCEPTANCE
Inspection and acceptance will be at destination, unless otherwise provided. Until delivery and acceptance, and after any rejections, risk of loss will be on the Contractor unless loss results from negligence of the Fund.

4. VARIATION IN QUANTITY
No variation in the quantity of any item called for by this contract will be accepted unless such variation has been caused by conditions of loading, shipping, or packing, or allowances in manufacturing processes, and then only to the extent, if any, specified elsewhere in this contract.

5. PAYMENTS
Invoices shall be submitted in triplicate (one copy shall be marked "Original") unless otherwise specified, and shall contain the following information: Contract or Order number, item number, contract description of supplies or services, sizes, quantities, unit prices, and extended totals. Bills of lading number and weight of shipment will be shown for shipments on Government Bills of Lading. Unless otherwise specified, payment will be made on partial deliveries accepted by the Fund when the amount due on such deliveries so warrants.

6. DISCOUNTS
Discount time will be computed from date of delivery at the place of acceptance or from receipt of correct invoice at the office specified by the Fund, whichever is later. Payment is made, for discount purposes, when check is mailed.

7. TERMINATION FOR DEFAULT
The Contracting Officer, by written notice, may terminate this contract, in whole or in part, for failure of the Contractor to perform any of the provisions hereof. In such event, the Contractor shall be liable for damages, including the excess cost of reprocuring similar supplies or services: provided that, if
(i) it is determined for any reason that the Contractor was not in default or
(ii) the Contractor's failure to perform is without his and his subcontractor's control, fault or negligence, the termination shall be deemed to be a termination for convenience under Paragraph 8.

DA FORM 4074-R
1 MAY 73

0021

8. TERMINATION FOR CONVENIENCE

The Contracting Officer, by written notice, may terminate this contract, in whole or in part, when it is in the best interest of the Fund. If this contract is for supplies or it is so terminated, the Contractor shall be compensated in accordance with Section VIII of the Armed Service Procurement Regulation, in effect on this contract's date. To the extent that this contract is for services, and is so terminated, the Fund shall be liable only for payment in accordance with the payment provisions of this contract for services rendered prior to the effective date of termination.

9. CHANGES

The Contracting Officer may at any time, by written order, and without notice to the sureties, make changes, within the general scope of this contract, in

(i) drawings, designs, or specifications, where the supplies to be furnished are to be specially manufactured for the Fund in accordance therewith;

(ii) method of shipment or packing; and

(iii) place of delivery. If any such change causes an increase or decrease in the cost of, or the time required for performance of this contract, whether changed or not changed by any such order, an equitable adjustment shall be made by written modification of this contract. Any claim by the Contractor for adjustment under this clause must be asserted within 30 days from the date of receipt by the Contractor of the notification of change provided that the Contracting Officer, if he decides that the facts justify such action, may receive and act upon any such claim if asserted prior to final payment, under this contract. Failure to agree to any adjustment shall be a dispute concerning a question of fact within the meaning of the clause of this contract entitled "Disputes." However, nothing in this clause shall release the Contractor from proceeding with the contract as changed.

10. EXTRAS

Except as otherwise provided in this contract, no payment for extras shall be made unless such extras and the price therefor have been authorized in writing by the Contracting Officer.

11. DISPUTES

a. The following applies to contracts, purchase orders, or agreements entered into by any fund except contracts, purchase orders, or agreements entered into by a fund located in United States Army, Europe, and which to be performed outside the United States. Except as otherwise provided in this contract, any dispute or claim concerning this contract which is not disposed of by agreement shall be decided by the Contracting Officer, who shall reduce his decision to writing and mail or otherwise furnish a copy thereof to the Contractor. Within 30 days from the date of receipt of such copy, the Contractor may appeal by mailing or otherwise furnishing to the Contracting Officer a written appeal addressed to the Armed Services Board of Contract Appeals, and the decision of the Board shall be final and conclusive. In connection with any appeal proceeding under this clause, the Contractor shall be afforded an opportunity to be heard and to offer evidence in support of his appeal. Pending final decision of a dispute hereunder, the Contractor shall proceed diligently with the performance of the contract and in accordance with the Contracting Officer's decision.

b. The following applies to contracts, purchase orders, or agreements entered into by the fund in United States Army, Europe to be performed outside the United States: Except as otherwise provided in this contract, any dispute or claim concerning this contract which is not disposed of by agreement shall be decided by the Contracting Officer, who shall reduce his decision to writing and mail or otherwise furnish a copy thereof to the Contractor. The decision of the Contracting Officer shall be final and conclusive unless, within 30 days of the receipt of such copy, the Contractor mails or otherwise furnishes to the Contracting Officer a written appeal addressed to the Commander in Chief, United States Army, Europe. The decision of the Commander in Chief, United States Army, Europe, or his duly authorized representative (other than the Contracting Officer under this contract) for the determination of such appeals shall be final and conclusive if the amount involved in the appeal is $50,000 or less. If the amount involved exceeds $50,000 such decision shall be final and conclusive unless, within 30 days after receipt by the Contractor thereof, the Contractor furnishes to the Contracting Officer a written appeal addressed to the Armed Services Board of Contract Appeals. The decision of the Board shall be final and conclusive. In connection with any appeal proceeding under this clause, the Contractor shall be afforded an opportunity to be heard and to offer evidence in support of his appeal. Pending final decision of a dispute hereunder, the Contractor shall proceed diligently with the performance of the contract and in accordance with the Contracting Officer's decision.

12. ... The Contractor agrees not to employ for work under this contract any person ...

13. OFFICIALS NOT TO BENEFIT

No official or employee of the United States Government or its nonappropriated fund instrumentalities shall be admitted to any share or part of this contract or any benefit that may arise therefrom.

14. COVENANT AGAINST CONTINGENT FEES

The Contractor warrants that no person or selling agency has been employed or retained to solicit or secure this contract upon an agreement or understanding for a commission, percentage, brokerage, or contingent fee, excepting bona fide employees or bona fide established commercial or selling agencies maintained by the Contractor for the purpose of securing business. For breach or violation of this warranty the Fund shall have the right to annul this contract without liability or in its discretion, to deduct from the contract price or consideration, or otherwise recover, the full amount of such commission, percentage, brokerage, or contingent fee.

15. COVENANT AGAINST GRATUITIES

The Contractor warrants that no gratuities (in the form of entertainment, gifts, or otherwise) were offered or given by the Contractor, or any agent or representative of the Contractor, to any officer, agent, or employee of the Fund with a view toward securing a contract or securing favorable treatment with respect to the awarding or amending, or making of any determinations with respect to the performance of such contract. For breach or violation of this warranty, the Fund shall have the right to terminate this contract without liability and, in its discretion, to deduct from the contract, price, consideration, or any other sums due or to become due the Contractor under this or any other contract the full amount of any such gratuities or the value thereof.

0022

G-3

16. FUND PROPERTY

The Contractor shall sign a receipt for any property furnished by the Fund and upon expiration of this contract shall return such property to the Fund in the same condition as when received, fair wear and tear excepted. If any such property is lost, damaged or destroyed and not returned or returned in a damaged condition in excess of fair wear and tear, the Contractor shall pay the Fund for the cost of repairs of damages or the fair market value of the property as determined by the Contracting Officer.

~~a. Unless he obtains the written approval of the Contracting Officer, the Contractor shall not acquire for use in performance of this contract any supplies or services originating from sources within the following communist areas:~~

~~Communist controlled China, excluding Taiwan (Formosa), but including Manchuria, Inner Mongolia, the province of Tsinghai and Sinkang, sinkiang, Tibet, the former Kwantung Leased Territory, the present Port Arthur Naval Base Area and Liaotung Province; Communist controlled area of Vietnam and communist controlled area of Laos; Cuba; Czechoslovakia; East Germany (Soviet Zone of Germany and Soviet Sector of Berlin); Estonia; Hungary; Latvia-Lithuania; North Korea; Outer Mongolia; Poland and Danzig; Rumania; and Union of Soviet Socialist Republics.~~

~~(ii) any supplies, however processed which are or were located in or transported from or through China (as described in (i) above), North Korea, North Vietnam, or Cuba.~~

~~b. The Contractor agrees to insert the provisions of this clause, including this paragraph b., in all subcontracts hereunder.~~

18. BUY AMERICAN ACT

~~a. In the procurement of products, the Buy American Act (41 U.S. Code 10 a-d) as implemented by Executive Order 10582, 17 Dec 1954, provides that the Government give preference to domestic source end products. For the purpose of this clause:~~

~~(i) "Components" means those articles, materials, and supplies, which are directly incorporated in the end product;~~

~~(ii) "End products" means those articles, materials, and supplies, which are to be acquired under this contract for public use; and~~

~~(iii) A "domestic source end product" means (A) an unmanufactured end product which has been mined or produced in the United States and (B) an end product manufactured in the United States if the cost of the components thereof which are mined, produced, or manufactured in the United States exceeds 50 percent of the cost of all its components. For the purpose of the a(iii)(B) components of foreign origin of the same type or kind as the products referred to in b(ii) or (iii) of this clause shall be treated as components mined, produced or manufactured in the United States.~~

~~b. The Contractor agrees that there will be delivered under this contract only domestic source end products, except end products:~~

~~(i) Which are for use outside the United States;~~

~~(ii) Which the Government determines are not mined, produced, or manufactured in the United States in sufficient and reasonably available commercial quantities and of a satisfactory quality;~~

~~(iii) As to which the Secretary of the Army determines the domestic preference to be inconsistent with the public interest; or~~

~~(iv) As to which the Secretary determines the cost to the Government to be unreasonable.~~

19. PERMITS AND LICENSES

The Contractor will procure all necessary permits and licenses at no cost to the Fund.

20. ASSIGNMENT OF RIGHTS

The Contractor cannot assign his rights or delegate his obligations under this contract without the prior written permission of the Fund.

21. TAXES

(a) Except as may be otherwise provided in this contract, the contract price includes all taxes, duties or other public charges in effect and applicable to this contract on the contract date, except any tax, duty, or other public charge which by law, regulation or governmental agreement is not applicable to expenditure made by the Fund or on its behalf; or any tax, duty, or other public charge from which the Contractor, or any subcontractor hereunder, is exempt by law, regulation or otherwise. If any such tax, duty or other public charge has been included in the contract price, through error or otherwise, the contract price shall be correspondingly reduced.

(b) If for any reason, after the contract date of execution, the Contractor or subcontractor is relieved in whole or in part from the payment or the burden of any tax, duty or other public charge included in the contract price, the contract price shall be correspondingly reduced; or if the Contractor or a subcontractor is required to pay in whole or in part any tax, duty or other public charge which was not included in the contract price and which was not applicable at the contract date of execution the contract price shall be correspondingly increased.

(c) No adjustment of less than $100 shall be made in the contract price pursuant to this paragraph.

22. LABOR PROVISION

(This clause applies if this contract is for services and is not exempted by applicable regulations of the Department of Labor.) Service Contract Act of 1965. Except to the extent that an exemption, variation, or tolerance would apply pursuant to 29 CFR 46 if this were a contract in excess of $2,500, the Contractor and any subcontractor hereunder shall pay all of his employees engaged in performing work on the contract not less than the minimum wage specified under section 6(a)(1) of the Fair Labor Standards Act of 1938, as amended ($1.60 per hour). However, in cases where section 6(e)(2) of the Fair Labor Standards Act of 1938 is applicable, the rates specified therein will apply. All regulations and interpretations of the Service Contract Act of 1965 expressed in 29 CFR Part 4 are hereby incorporated by reference in this contract.

23. EMPLOYEES

In the performance of services, the Contractor agrees to use only employees who meet the standards prescribed by the Fund. The Contractor will cease the use of any agent or employee who, in the opinion of the Fund, is considered undesirable.

24. DISCRIMINATION

Contractor agrees that in the performance of work under this contract there will be no discrimination against any employee or applicant for employment because of race, creed, color, or national origin.

0023

G-4

25. NEW MATERIAL

Except as to any supplies and components which the Specification or Schedule specifically provides need not be new, the Contractor represents that the supplies and components to be provided under this contract are new. If at any time during the performance of this contract, the Contractor believes that the furnishing of supplies or components which are not new is necessary or desirable, he shall notify the Contracting Officer immediately, in writing, including the reasons therefore and proposing any consideration which will flow to the Fund if authorization to use such supplies is granted.

26. PRICE CONTROL

The Contractor warrants that the contract prices, including the prices in subcontracts hereunder, are not in excess of the prices allowed under price control laws and regulations of the Contractor's Government. If the contract prices are in excess of such allowable prices, through error or otherwise, the contract prices shall be correspondingly reduced.

27. ACCIDENT PREVENTION, FIRE PREVENTION, AND SANITATION

If this contract is performed in whole or in part on premises owned or under the control of the United States Government and/or the Fund, the Contractor shall conform to all safety regulations and requirements covering such premises in effect any any time during the performance of the contract and take all necessary steps and precautions to prevent accidents. Any violation of safety regulations, unless immediately corrected as directed by the Contracting Officer, shall be grounds of termination of the Contract under the "Termination For Default" clause.

28. INSURANCE

(a) The Contractor will, at his own expense, procure and maintain during the entire performance period of this contract insurance of at least the kinds and minimum amounts set forth below:

(b) At all times during performance, the Contractor shall maintain with the Contracting Officer a current Certificate of Insurance showing at least the insurance required by the Schedule, and providing for thirty (30) days' written notice to the Contracting Officer by the insurance company prior to cancellation or material change in policy coverage.

29. SAVE HARMLESS

The Contractor shall save harmless the Fund and the United States Government from any claims of third parties arising out of or from accidents or incidents involving acts or omissions of the Contractor, its officers, agents, or employees, occuring as a result of performance of the terms and conditions of this contract or as a result of operation of Fund furnished equipment or materials, if any, or of the performance of the services under this contract.

30. COMMERCIAL WARRANTY

The Contractor agrees that the supplies or services furnished under this contract shall be covered by the most favorable commercial warranties the Contractor gives to any customer for such supplies or services and that the rights and remedies provided herein are in addition to and do not limit any rights afforded to the Fund by any other clause of this contract.

31. NON-WAIVER OF DEFAULTS

Any failure by the Fund at any time, or from time to time, to enforce or require strict performance of any terms or conditions of this contract will not constitute waiver thereof and will not effect or impair such terms or conditions in any way or the Fund's right at any time to avail itself of such remedies as it may have for any breach or breaches of such terms and conditions.

32. SUBJECT TO REGULATIONS

This contract is subject to all applicable statutes, treaties, conventions, executive agreements, and regulations.

33. MODIFICATIONS AND ADDITIONS

All modifications, additions, or deletions to this contract are considered to be amendments hereto and must be prepared in writing as formal amendments to this contract and must be signed by both parties in the same manner as this contract in order to be effective.

34. (This clause shall be incorporated in all nonappropriated fund contracts except those contracts with a foreign contractor in a country where such clause is precluded by law or when the Secretary of the Army determines that the inclusion of the clause would not be in the public interest.)

EXAMINATION OF RECORDS

a. This clause is applicable if the amount of this contract exceeds $2,500 and was entered into by means of negotiation. The contractor agrees that the contracting officer or his duly authorized representatives shall have the right to examine and audit the books and records of the contractor directly pertaining to the contract during the period of the contract and until the expiration of three years after final payment under the contract.

b. The contractor agrees to include the clause in paragraph a. in all his subcontracts hereunder, except purchase orders not exceeding $2,500.

G-5

0024

276 주한미군지위협정(SOFA) 관련 기타 자료

LIABILITY AND SECURITY

1. LIABILITY:

    a. Contractor shall be:

        (i) liable to the Government for loss of or damage to property,
             real and personal, owned by the Government or for which
             the Government is liable;

        (ii) responsible for, and hold the Government harmless from loss
             of or damage to property not included in (i) above, and

        (iii) responsible for, and hold the Government harmless from,
              bodily injury and death of persons,

occasioned either in whole or in part by the negligence or fault of the
Contractor, his officers, agents, or employees in the performance of work
under this contract.

    b. Decisions of the contracting officer with respect to liability
shall be subject to the "Disputes" article of the contract.

2. PREVENTION OF PILFERAGE:

    a. Contractor shall throughout the term of this contract institute
and maintain adequate controls and security measures to prevent pilferage
during the time that property, as described in 1(a)(i) and 1(a)(ii) above,
is under the contractor's control.

    b. In the event that   contractor's employees by direct act,
or otherwise, commit, condone, fail to report, or otherwise are illegally
involved in the theft of any Government property, contractor shall remove
such individual from work under this contract, if so directed by the
contracting officer.

3. GOVERNMENT'S RIGHTS:

    The rights of the government arising from this article are in addition
to any other rights set forth in the contract or any other rights to which
the government is otherwise entitled. Nothing in this article shall be
construed to limit these rights nor shall any other provision of this
contract be construed to limit the rights of the government under this
provision.

0025

EXEMPTION FROM KOREAN TAXES FOR SPECIAL EXCISE TAXED ITEMS USED ON THIS CONTRACT

This clause is in implementation of Article XVI of the Status of Forces Agreement between the Republic of Korea and the United States granting contractors exemption from Republic of Korea Special Excise Taxes (SET). At the time this contract is awarded the contractor shall indicate to the contracting officer which items he shall purchase for the contract are subject to SET. He shall indicate the name of the item, the number of units to be purchased, the cost per unit w/o tax, the percentage of tax, the tax amount per unit, the total tax, and the manufacturer of the item. The contracting officer shall verify the reasonableness of the quantities claimed. The contractor shall purchase the SET items from the item manufacturer tax inclusive. For construction and single delivery type supply and service contracts he shall employ the following procedure: At the time he purchases the items he shall present the manufacturer with a notification letter requesting a refund of the SET. (Copies of this letter can be obtained from the USAKPA contracting officer.) The manufacturer will indorse the letter to the manufacturer's District Tax Office which will make the refund to the manufacturer. The manufacturer will make subsequent refunds to the contractor. Requests for refund under requirements type contracts shall be submitted monthly and shall be accompanied by copies of the USFK delivery orders issued during the monthly period.

G-9

0026

6 February 1984

Mr. CHANG Kyo Chol, President
Dae Lim Industrial Co., Ltd.
#274-3, Chungwha-Dong
Tongdaemun-Ku, Seoul

Dear Mr. CHANG:

Reference your letter, undated, requesting the SOFA Joint Committee conciliate
your contract dispute in accordance with, and pursuant to, paragraph 10,
Article XXIII of the ROK-US Status of Forces Agreement. After discussions with
your legal representative, Mr. Don Stafford, and USFK JAJ-IA representative,
Mr. Don Timm, on 31 January 1984, it was agreed that procedures offered under
SOFA Article XXIII should not be pursued until after the pending ASBCA hearing
in July 1984. Article XXIII actions should only be attempted after all admin-
istrative remedies have been exhausted and an impasse reached. Furthermore,
since this claim dispute is against the United States Armed Forces, the request
for Joint Committee conciliation should be initiated through Republic of Korea
channels.

CARROLL B. HODGES
Special Assistant to the
Deputy Commander, USFK

0027

2 첨면

피고의 소관 부처에 대한 계약서상의 명확한 조문과 원고의 소견서

서울 민사 지방 법원 합의 15부

서론: 주한 미 육군 계약처 즉 US ARMY KOREA CONTRACT AGENCY는
두가지 종류의 계약을 행정협정에 (SOFA)근거하여 발행 하고 있는데
첫째는 APPROPRIATED FUNDS 즉 미 합중국 정부에서 배정한 정부 충당
예산에 의한 계약집행 행위와,
둘째는 NON APPROPRIATED FUNDS 즉 정부충당 예산이 아닌 단위 부대나
단위 기관에서 식당이나, 구락부, 후생시설등 자체운영에서 발생한 이익금
을 조성하기위한 비 정부충당 예산 기금을 뜻하는 것이며 당사가 제소한
소관계약의 분쟁사유는 후자에 해당되는 사항 입니다 (이 사항은 외무부에
조회 하여도 확인 됩니다).
그러므로 당사가 계약 소청 심의 위원회 즉 THE ARMED SERVICES BOARD
OF CONTRACT APPEAL에 소청 할때도 피고를 주한 미 육군 계약처로 하여
청문을 가졌읍니다 (이러한 사실은 세종 합동 법률 사무소 대표 변호사
신 형 무 변호사나, 혹은 직접 취급하였던 DONALD L. SPAFFORD JR.
변호사에게 참조 하여 보아도 확인 할수 있읍니다. 전화 756.6336).
본론: 동 소송 사건에 있어서 피고는 누가 무어라 하여도 확실히 주한 미
육군 계약처 (US ARMY CONTRACTING AGENCY)임이 분명 한데도 재판을
기피할 목적으로 피고의 소관 부서를 미 합중국 법무장관 까지 확대 하면서
소의 진행을 야비하게 방해 하고 있으나 피고가 원고에게 발행한 계약서
조문중에는 두말할 여지가 없이 피고의 소재가 비 정부충당 예산을 집행
하는 주한 미 육군 계약처라고 분명하게 명시된 계약서 조문을 지적하면
계약서상 여러곳에 있으나 그중 명확한 (3)세가지 조항만 요약 하면:
:

(1)

0028

첫째: 첨부된 갑중 19호와 같이 계약서 표지 좌 상단 1)항
에는 원고와 피고간에 계약서 체결번호가 KCANAF80-C-VO65라고 기재되어
있는데 이것은 KOREA CONTRACT AGENCY NON APPROPRIATED FUNDS
80-C-VO65 를 의미 하는것이며 이를 해석하면 주한 미 육군 계약처의
비 정부 충당 예산국 계약을 지칭 하는 것입니다.
　　둘째: 동 계약서 표지 중간 부분 14)항에는:
"ACCOUNTING AND APPROPRIATION DATA":
NO APPROPRIATED FUNDS OF THE UNITED STATES SHALL BECOME DUE
OR BE PAID THE CONTRACTOR BY REASON OF THIS CONTRACT.
해석하면: 　　　"결산 및 정부충당예산 근거"
미 합중국의 비 정부충당예산으로 반듯이 채무를 치루어지게 되었으며 또한
비 충당예산 계약서 사유에 의하여서만 계약자에게 지급이 이루어 지게 된다
(외역을 하면 접대모 성부충당예산을 동 계약에 의거하여 사용 하거나 어떤
명문으로 지불행위를 하여서는 안된다는 뜻임).
　　셋째: 그러면 비 충당예산 관리국이 미국 정부를 대표 한다는
명확한 조항은 계약서 8페지 20조에 분명히 명시 되어 있읍니다.
즉 동 계약서에서 정부의 범위에 대한 유권 해석은"
"GOVERNMENT": AS USED HEREIN OR IN REFERENCE, TERM GOVERNMENT
MEANS NON APPROPRIATED FUNDS ACTIVITIES OF THE DEPARTMENT OF
THE ARMY. 라고 원고와 피고간에 체결한 계약서에 명시 되어 있으며
한국어로 해석 하면:
"여기에서는 관예적으로나 혹은 참조 조항에서와 같이, 정부라는 조항은
미 육군성의 비 정부충당예산 집행처를 의미 한다".

그러므로 피고는 미국 정부가 아니라 계약서에 정히 명시된 동 조항과 같이
비 충당예산을 집행한 주한 미 육군 계약처로 국한 되었으며 그간 4차에
걸쳐 출석 요구서를 법원에서 발부 하였으나 출두 하지않고 기피하는 처사는
승소할 여지가 없으므로 교활하게 재판을 기피하는 월권적 처사에 불과함으로
주권국의 주권수호측면에서 납득할수있는 단호하고 정의로운 편결을 조속히
집행하여 주시길 바랍니다.

0029

(7)

1991. 12. 17

대림 기업 (주)

장 교 철

재첨부: 1990.8.17 자 추가 진술서 사본과 과계된 법적 조항

0030

(3)

사건번호 90가합 004223

피고를 주한 미육군 계약처로 지목한 사유와 근거 :

피고가 한국 정부가 아니라 주한 미군 계약처 임이 분명한 사유는 피고가 문제의 계약서를 원고에게 발행 할수 있었던 법적인 근거는 한·미간에 체결된 주둔군 지위 협정 16조의 현지 조달 조항에 의거하여 면세점 계약을 원고에게 발행하였으며 이때 동 16조 4항을 무시하였으므로 계약 집행상의 분쟁이 발생되었습니다.

주둔군 지위 협정 23조 배상청구권 5항에 의하면
- -

공무 집행중의 합중국 군대의 구성원이나 고용원의 작위, 불작위, 또는 합중국 군대가 법율상의 책임을 지는 기타의 작위, 불작위 또는 사고로 부터 대한민국 정부 이외의 제3자에게 손해를 가한것으로 부터 발생되는 배상청구권은 동 5항의 세측 (바)에 근거하여 대한민국 안에서는 그들에 대하여 행하여진 재판의 집행절차에 따르지 않게 되었으므로 이때에는 통상적으로 대한민국 정부를 상대로 행정 소송을 제기하는 것이 관에로 되어 있습니다. 그러나 23조 5항 본문에서 정확히 지적한 바와 같이 계약에 의한 배상 청구권 및 동조의 6항 및 7항은 정부를 상대로 하는 청구권 소송에서 정히 제외된다고 명시되어 있습니다.

그러므로 인하여 이때에는 주둔군 지위 협정 23조 6항 및 10항을 근거로 하여 합중국 군대에 의한 또는 동 합중국 군대를 위한 자재, 수용품 비품 및 용역의 조달에 관한 계약으로 부터 발생하는 분쟁으로서 그 계약 당사자에 의하여 해결되지 않는 것은 조정을 위하여 합동 위원회에 회부 할수 있다. 다만 본항의 조항은 계약 당사자들이 가질수 있는 민사소송을

-1-

0031

제기할 권리를 침해하지 아니한다고 되어 있으며,

또한 이조항을 좀더 명확히 하기 위하여 소장에 첨부한 갑증 1호와 같이 주둔군 지위 협정 23조는 모든 행정상의 구제 조치가 소진되고 또한 막다른 입장에 처하였을 때에는 (IMPASSE REACHED) 동 23조를 적용할수 있다는 합의서를 당시 원고를 대표한 DON SPAFFORD 변호사와 주한 미군 법무 감실을 대표한 (USFK JAJ-IA Representative) DON TIMM 씨간에 합의 하였던 사실을 주한미군 부사령 관의 특별 법율 보좌관 CARROL B HODGES 박사가 서명으로 인정하였으므로 주한 미군 계약처를 피고로 지목하여 주문과 같이 손배소를 귀원에 제출하여 평결을 받으려는 조치는 적법하다고 확신 합니다. (추가진술서 (2) 1990.8.17 참조)

또한 이사실을 입증할수 있는 자료로는 현재 서울 대학교 법학도들이 고재로 사용하고 있으며 현직 헌법 재판소 판사로 계시는 이시윤 선생님의 저서인 민사 소송법에도 :

주둔군 지위 협정 23조 5항 및 10항에 근거하여 미국 군대와의 군납 관계 분쟁에 있어서는 우리나라의 민사 재판권이 미친다.

다만 이때에도 먼저 대한민국 당국의 배상금 사정과 미군 당국의 배상금 지급 제의를 기다려 이에 불복이 있는 경우에 한하여 미국 군인을 상대로 대한민국 법원에 제소할수 있다. (1992.2.25일자의 변론기일 지정서에 첨부한 갑증 26호 참조)

추가로 말씀 드리고 싶은것은 원고도 역시 동 소송을 귀원에 제소하기 전에 배상에 대한 협상도 하여 보았으나 소장에서와 같이 만족스러운 배상금을 제시 받지 못함으로 인하여 소송을 제기하였으며 또한 소송을 제기하기전에 주둔군

-2-

0032

지위협정 산하의 검찰청 배상심의 위원회에 배상청구를 정히 의뢰하려 하였

으나 배상심의 위원회에서는 계약에 의한 분쟁은 당사자가 명확하므로 배상심의

위원회 소관이 아니므로 법원의 평결을 받으라는 지시를 받았으며 또한 법무부

송무과 에서도 검찰청 배상심의 위원회와 동일한 지시를 확인 받았습니다.

이렇게 법적인 근거와 합의서등에 의거하여 피고를 소장에서와 같이

주한 미육군 계약처로 지정한 행위는 실정법에 위배됨이 없이 타당한 조치였

음을 주장 합니다. 그러므로 법을 전문적으로 집행하는 법관님의 정의로운 소신

에 의하여 동 소송을 지체 없이 집행시켜 주시길 바랍니다.

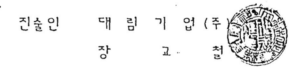

진술인   대 림 기 업 (주)

장   교   철

참고진술 : 무엇보다 중요한 사실은 당사가 주한미대사에게 첨부한 내용의

사실조회 질문서신을 보낸결과 피고의 소관부처는 주한 미군

부사령관의 특별 보조관 CARROLL HODGES 박사의 사무실 소관

이라는 회신을 받았으므로 이는 소장에 첨부한 갑증 1호 와

일치되며, 또한 외무부에 질의한 서신 사본과 이에 대한 회신도

이 진술서에 첨부합니다. 유감된것은 질의 내용에 따라 피고의

소관이 1991.2.13일자의 외무부 사실 조회 회신과 1992.3.25일

자의 외무부의 회신이 일관되지 않고 질의 여하에 따라서 전적

으로 상치되는 데 문제가 되나 어데까지나 소의 진행에 있어서

참조 사항에 붙과 하다고 생각 합니다.

-3-

0033

첨 부 : 1. 1992. 1. 21일자의 원고가 미대사에 질의한 서신 사본

2. 1992. 2. 13일자의 미대사관 일등 서기관의 답신

3. 1992. 1. 30일자의 원고가 대한민국 외무부에 질의한 서신 사본

4. 1992. 3. 25일자의 외무부 조약 국장의 회신

0034

외 무 부

110-760 서울 종로구 세종로 77번지 / (02) 720-2324 / FAX (02) 720-2686

문서번호 미이 01225-18
시행일자 1992. 7. 2.
(경 유)
수 신 조약국장
참 조

취급		장		관
보존				
국 장	전 결			
심의관				
과 장				
담 당	조준혁			협조

제 목 SOFA 관련 계약 분쟁

　　　1.　　서울 민사지방법원 합의 제15부는 대림기업 주식회사와
주한미육군 계약처와의 계약에 관한 손해배상 청구소송과 관련하여, 동
계약처가 독립된 권리주체로서 상기 청구소송에 있어 피청구인으로서의
자격이 있는지 여부에 대한 당부의 의견을 별첨과 같이 문의하여 왔읍니다.

　　　2.　　상기관련, 한.미 주둔군 지위협정(SOFA) 제23조 9항은 우리나라의
민사재판권 행사범위를 규정하고 있는 바, 동 조에 따라 상기 청구소송이
가능한지 여부를 당국으로 통보하여 주시기 바랍니다.
　　　　　　　검토하여 주시고, 그 검토결과를
첨　　부 :　상기 법원 공문 사본 1부.　　　끝.

0035

천자2科

서 울 민 사 지 방 법 원
(530-1738)

제 15 부

수 신   외무부장관   1992. 6. 15.

제 목   사실조회 의뢰

　당원 90 가합 4223호 손해배상(기) 사건의 심리에 필요하오니 다음

사항을 미합중국 대사관에 조회하여 조속히 회보하여 주시기 바랍니다.

다   음

위 사건의 원고 대림기업 주식회사는 1980. 3. 15. 미8군 비충당 예산집행부

계약관 레오날스. 라조푸와 원고회사가 일정한 사용료를 지불하고 미군전용

의 내자호텔내에서 전자제품과 음향기기 매장을 운영한다는 계약을 체결하

고 영업을 하여 왔습니다.

위 계약의 이행과 관련된 분쟁에 대하여 원고가 당원에 손해배상청구 소송

을 제기하여 왔는바,

1.   위 계약을 체결한 권리주체가 누구인지.
　　　(또는 " 주한 미육군 계약서" 가)

2.   "주한 미육군 계약처 법무과가 독립된 권리주체로서의 자격이 있는

　　　지, 아니면 미합중국 행정부를 구성하고 있는 1개 조직에 불과한지.

재판장   판   사   조   용   무

선 결			결		
접수일시	1992. 6. 19	22317	재(공람)		
처리과					

0036

대림 797-5746
장 대표이사

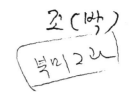

서 울 민 사 지 방 법 원
제 15 부

수　신　　외무부장관　　　　　　　　　　　1992.　7.　10.

제　목　　사실조회의뢰

　당원 90가합4223호 손해배상(기) 사건의 심리에 필요하여 다음 사항을 조회하오니 주미 한국대사관에 문의하여 조속히 회보하여 주시기 바랍니다.

1.　사건내용

　　위 사건의 원고 대림기업주식회사는 1980.3.15. 미8군 계약관 레오날드. 라조프와 원고회사가 일정한 사용료를 지불하고 미군전용의 내자 호텔내에서 전자제품과 음향기기 매장을 운영한다는 계약을 체결하고 영업을 하여왔습니다.

　　위 계약의 이행과 관련하여 원고가 미합중국 또는 미8군을 피고로 하여 당 법원에 손해배상 청구소송을 제기하였습니다.

2.　조회사항

　가. 최근 2-3년 동안 미합중국 내에서 미국회사, 또는 미국시민 개인이 사법(私法)상 계약의 이행과 관련하여 미국 법원에 대한민국을 피고로 하여 민사상 소송을 제기한 일이 있는지.

　나. 제기한 일이 있다면,

　　(1) 그 일시, 사건번호, 원고이름

　　(2) 그 사건의 처리결과 (미합중 법원에서 어떤 내용의 판결을 선고하였는지)

　　　　재판장　　판　사　　조　용　무

신　건			결
접수일시 1992. 7.13	번호 25460		재공람
처리과			

0037

발 신 전 보

	분류번호	보존기간

번   호 : WUSM-42 ~~WUS-3363~~ 920720 1825 FY종별 : _____

수   신 : 주   미   대사, ~~총영사~~ 미국지역 각 총영사

발   신 : 장 관 (미이)

제   목 : 소송 사례 파악

서울 민사지법은 미국 정부 또는 미8군을 피고로하여 동 법원에
제기된 손해배상 청구소송과 관련, 동 소송심의에 필요하다하면서
하기 사항을 파악해 줄 것을 요청하여 왔는 바, 가능한 한 조속 파악
보고 바람.

　　o 최근 2~3년 동안 주재국내에서 미국회사, 또는 미국시민이 **사법상** 계약의
　　　이행과 관련하여 주재국법원에 아국을 피고로 하는 민사소송을
　　　제기한 일이 있는 지 여부

　　o 제기한 일이 있는 경우
　　　- 그 일시, 사건 번호, 원고 이름
　　　- 그 사건에 대한 주재국 법원의 판결 내용

　　　　　　　　　　　　　　　　　　　　　　　- 끝 -

　　　　　　　　　(미주국장 정태익)

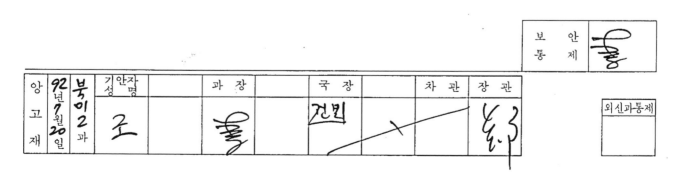

0038

외 무 부

종 별 :

번 호 : BTW-0189   일 시 : 92 0720 1730

수 신 : 장관(미이)

발 신 : 주보스톤총영사

제 목 : 소송사례파악

대: WUSM-0042

대호 당지에서 아국을 상대로한 민사소송이 제기된 일이 없음. 끝.

(총영사안종구-국장)

미주국

PAGE 1   92.07.21   06:53 FE
                                     외신 1과 통제관 /

                                     0039

외 무 부

종 별 :

번 호 : STW-0386   일 시 : 92 0722 0900

수 신 : 장관(미이,사본:주미대사-직송필)

발 신 : 주시애틀총영사

제 목 : 소송사례 파악

대:WUSM-042

대호관련, 당지는 동사례가 없음을보고함.끝.

(총영사-국장)

───

미주국

외신 1과 통제관 ✓

0040

외 무 부

종 별 :

번 호 : GMW-0132

일 시 : 92 0724 1340

수 신 : 장 관(미이)

발 신 : 주 아가나총영사

제 목 : 소송사례 파악

대:WUSM-0042

대호, 당관 주재지 내에서 미국회사 또는 미국시민이 주재지 법원에 아국을 피고로 민사소송을 제기한 일이 없음을 보고함. 끝.

(총영사 최용-국장)

미주국

외 무 부

종   별 :

번   호 : USW-3893   일   시 : 92 0807 1754

수   신 : 장 관 (미이, 법규)

발   신 : 주 미 대사

제   목 : SOFA 관련 계약 분쟁및 소송사례 관련 보고

대: WUSM-0042, 조약 20401-368임.

- 대림기업(주), 주한 미육군 계약처와의 내자호텔내 면세점 개설 계약 관련 민사 소송에 관하여 당사자 문제 및 소송사례를 파악한 바, 그결과를 아래와 같이 보고함.

- 아 래 -

1. 당사자 문제

0 주한 육군 계약처의 소송 당사자 능력과 관련하여 미 법무부 민사국 외국 소송 담당실장 EPSTEIN, DAVID 에게 문의한바 다음과 같이 답변함.

0 첫째, 미국 정부기관이 관련된 소송에서의 소송당사자는 타법률에 특별한 예외규정이 없는한 미국임. 따라서 본사건의 경우 소송당사자는 미국이 되어야 할 것임. 실무상으로는 외국 법원이 당사자를 미국이 아닌 그지역 군사기관으로 표시하여 소송서류를 송달하는 경우가 있는데 이러한 경우 미법무부에서는 그 소송 당사자 표시를 미국으로 변경해 줄것을 요청하고 있음.

0 둘째, 외국에서의 소송을 포함하여 미국 정부를 상대로 한 모든 소송은 연방법상 법무부 장관이 관장하도록 되어 있는 바, 법무부에서는 민사국에서 담당하고 있고 특히 외국 소송에 관한 사항 처리를 위하여 민사국내에 외국소송담당실(OFFICE OF FOREIGN LITIGATION) 을 두고 있음.

- 관련규정

. 미연방법 28편 516조-520조 (U.S.C. 18 516-520)

. 미법무부 부령 (NO. 441-70, 35, FR 16318)

2. 소송사례

0 미국내에서의 한국정부를 상대로 한 민사소송사례를 미연방 법원 행정처 통계국 등에 확인한 결과, 최근의 2-3년간의 소송사례는 나타나지 아니하고 1986년 및

미주국   조약국

PAGE 1

1955년에 발생한 2건이 파악되었는 바, 그 내용은 다음과 같음.

　O 1986년 사건

　- 사건명: LUCCHINO V. FOREIGN COUNTRIES OF BRAZIL

SOUTH KOREA, SPAIN, MEXICO, ARGENTINA

(631 F SUPP. 821)

　- 판결법원: EASTERN DISTRICT OF PENNSYLVANIA

　- 판결일시: 1986.1.17

　- 판결내용: 별첨 판결문 사본 참조

　O 1955년 사건

　- 사건명: N.Y. CUBA MAIL STEAMSHIP COMPANY V.

REPUBLIC OF KOREA(132 F SUPP. 684)

　- 판결법원: SOUTHERN DISTRICT OF N.Y.

　- 판결일시: 1955.7.13.

　- 판결내용: 별첨 판결문 사본 참조

　첨부: 1. 관련 연방법령 및 법무부령 사본 1부

　2. 연방법원 판결문 사본 각 1부.(USW(F)-5145).끝.

　(대사 현홍주-국장)

PAGE 2

주 미 대 사 관

USW(F) : *5145* 년월일 : *92.8.7* 시간 : *1800*

수 신 : 장 관 (미이. *법까*)

발 신 : 주미대사

제 목 : *USW-3813* *첨부*

(*5145 - 11 - 1*)

: 92-8-7 : 17:11 :

0044

The words "executive department" are substituted for "Department" because "Department", as used in R.S. §§ 187 and 364, meant "executive department". (See R.S. § 159.) The word "agency" is substituted for "bureau" as it has a more common current acceptance. The word "concerning" is substituted for "touching". Reference to application for a subpena is omitted as R.S. § 364 gives the department head the same authority to request aid from the Attorney General whether or not application has been made for a subpena.

Section 187 of the Revised Statutes was part of title IV of the Revised Statutes. The Act of July 26, 1947, ch. 343, § 201(d), as added Aug. 10, 1949, ch. 412, § 4, 63 Stat. 579 (former 5 U.S.C. 171–1), which provides "Except to the extent inconsistent with the provisions of this Act [National Security Act of 1947], the provisions of title IV of the Revised Statutes as now or hereafter amended shall be applicable to the Department of Defense" is omitted from this title but is not repealed.

Minor changes are made in phraseology to allow for the combining of the two sections.

§ 515. Authority for legal proceedings; commission, oath, and salary for special attorneys

(a) The Attorney General or any other officer of the Department of Justice, or any attorney specially appointed by the Attorney General under law, may, when specifically directed by the Attorney General, conduct any kind of legal proceeding, civil or criminal, including grand jury proceedings and proceedings before committing magistrates, which United States attorneys are authorized by law to conduct, whether or not he is a resident of the district in which the proceeding is brought.

(b) Each attorney specially retained under authority of the Department of Justice shall be commissioned as special assistant to the Attorney General or special attorney, and shall take the oath required by law. Foreign counsel employed in special cases are not required to take the oath. The Attorney General shall fix the annual salary of a special assistant or special attorney at not more than $12,000.
(Added Pub.L. 89–554, § 4(c), Sept. 6, 1966, 80 Stat. 618.)

REVISION NOTES

Derivation	U.S. Code	Revised Statutes and Statutes at Large
(a)	5 U.S.C. 310.	June 30, 1906, ch. 3935, 34 Stat. 816.
(b)	5 U.S.C. 315.	R.S. § 366. Apr. 17, 1930, ch. 174, 46 Stat. 170. June 25, 1948, ch. 646, § 3, 62 Stat. 985.
....	[Uncodified].	Aug. 5, 1953, ch. 321, § 202 (1st and 2d pro-

Derivation	U.S. Code	Revised Statutes and Statutes at Large
		visos, as applicable to special assistants and special attorneys), 67 Stat. 875.
....	[Uncodified].	July 2, 1954, ch. 455, § 202 (as applicable to special assistants and special attorneys), 68 Stat. 421.

In subsection (a), the words "or counselor" are omitted as redundant. The words "United States attorneys" are substituted for "attorneys" on authority of the Act of June 25, 1948, ch. 646, § 1, 62 Stat. 909. The words "any provision of" are omitted as unnecessary.

§ 516. Conduct of litigation reserved to Department of Justice

Except as otherwise authorized by law, the conduct of litigation in which the United States, an agency, or officer thereof is a party, or is interested, and securing evidence therefor, is reserved to officers of the Department of Justice, under the direction of the Attorney General.
(Added Pub.L. 89–554, § 4(a), Sept. 6, 1966, 80 Stat. 613.)

REVISION NOTES

Derivation	U.S. Code	Revised Statutes and Statutes at Large
....	5 U.S.C. 306.	R.S. § 361. Sept. 3, 1954, ch. 1263, § 11, 68 Stat. 1229.

The section is revised to express the effect of the law. As agency heads have long employed, with the approval of Congress, attorneys to advise them in the conduct of their official duties, the first 55 words of R.S. § 361 and of former section 306 of title 5 are omitted as obsolete.

The section concentrates the authority for the conduct of litigation in the Department of Justice. The words "Except as otherwise authorized by law," are added to provide for existing and future exceptions (e.g., section 1037 of title 10). The words "an agency" are added for clarity and to align this section with section 519 which is of similar import. The words "as such officer" are omitted as unnecessary since it is implied that the officer is a party in his official capacity as an officer.

So much as prohibits the employment of counsel, other than in the Department of Justice, to conduct litigation is omitted as covered by R.S. § 365, which is codified in section 3100 of title 5, United States Code.

§ 517. Interests of United States in pending suits

The Solicitor General, or any officer of the Department of Justice, may be sent by the Attorney

514 - 11 - 2

92 - 8 - 7 : 17:12

0045

General to any State or district in the United States to attend to the interests of the United States in a suit pending in a court of the United States, or in a court of a State, or to attend to any other interest of the United States.

(Added Pub.L. 89-554, § 4(c), Sept. 6, 1966, 80 Stat. 618.)

REVISION NOTES

Derivation	U.S. Code	Revised Statutes and Statutes at Large
....	5 U.S.C. 318.	R.S. § 367.

§ 518. Conduct and argument of cases

(a) Except when the Attorney General in a particular case directs otherwise, the Attorney General and the Solicitor General shall conduct and argue suits and appeals in the Supreme Court and suits in the United States Claims Court or in the United States Court of Appeals for the Federal Circuit and in the Court of International Trade in which the United States is interested.

(b) When the Attorney General considers it in the interests of the United States, he may personally conduct and argue any case in a court of the United States in which the United States is interested, or he may direct the Solicitor General or any officer of the Department of Justice to do so.

(Added Pub.L. 89-554, § 4(c), Sept. 6, 1966, 80 Stat. 613, and amended Pub.L. 96-417, Title V, § 503, Oct. 10, 1980, 94 Stat. 1743; Pub.L. 97-164, Title I, § 117, Apr. 2, 1982, 96 Stat. 32.)

REVISION NOTES

Derivation	U.S. Code	Revised Statutes and Statutes at Large
....	5 U.S.C. 309.	R.S. § 359.

The words "and writs of error" are omitted on authority of the Act of Jan. 31, 1928, ch. 14, § 1, 45 Stat. 54. The word "considers" is substituted for "deems".

§ 519. Supervision of litigation

Except as otherwise authorized by law, the Attorney General shall supervise all litigation to which the United States, an agency, or officer thereof is a party, and shall direct all United States attorneys, assistant United States attorneys, and special attorneys appointed under section 543 of this title in the discharge of their respective duties.

(Added Pub.L. 89-554, § 4(c), Sept. 6, 1966, 80 Stat. 614.)

REVISION NOTES

Derivation	U.S. Code	Revised Statutes and Statutes at Large
....	28 U.S.C. 507(b).	[None].

The words "Except as otherwise authorized by law," are added to provide for existing and future exceptions (e.g., section 1087 of title 10).

The words "or officer" are added for clarity and to align this section with section 516 which is of similar import.

The words "special attorneys appointed under section 543" are substituted for "attorneys appointed under section 543" to reflect the revision of this title.

§ 520. Transmission of petitions in United States Claims Court or in United States Court of Appeals for the Federal Circuit; statement furnished by departments

(a) In suits against the United States in the United States Claims Court or in the United States Court of Appeals for the Federal Circuit founded on a contract, agreement, or transaction with an executive department or military department, or a bureau, officer, or agent thereof, or which the matter or thing on which the claim is based has been passed on and decided by an executive department, military department, bureau, or officer authorized to adjust it, the Attorney General shall send to the department, bureau, or officer a printed copy of the petition filed by the claimant, with a request that the department, bureau, or officer furnish to the Attorney General all facts, circumstances, and evidence concerning the claim in the possession or knowledge of the department, bureau, or officer.

(b) Within a reasonable time after receipt of the request from the Attorney General, the executive department, military department, bureau, or officer shall furnish the Attorney General with a written statement of all facts, information, and proofs. The statement shall contain a reference to or description of all official documents and papers, if any, as may furnish proof of facts referred to in it, or may be necessary and proper for the defense of the United States against the claim, mentioning the department, office, or place where the same is kept or may be secured. If the claim has been passed on and decided by the department, bureau, or officer, the statement shall briefly state the reasons and principles on which the decision was based. When the decision was founded on an Act of Congress it shall be cited specifically, and if any previous interpretation or construction has been given to the Act, section, or clause by the department, bureau, or officer, it shall be set forth briefly in the statement and a copy of the opinion filed, if any,

Act (15 U.S.C. 1231 et seq.), the odometer requirements section and the fuel economy labeling section of the Motor Vehicle Information and Cost Savings Act (15 U.S.C. 1981 et seq.), the Federal Cigarette Labeling and Advertising Act (15 U.S.C. 1331 et seq.), the Poison Prevention Packaging Act of 1970 (15 U.S.C. 1471 et seq.), the Federal Caustic Poison Act (15 U.S.C. 401 note), the Consumer Credit Protection Act (15 U.S.C. 1611, 1681q and 1681r), the Wool Products Labeling Act of 1939 (15 U.S.C. 68), the Fur Products Labeling Act (15 U.S.C. 69), the Textile Fiber Products Identification Act (15 U.S.C. 70 et seq.), the Consumer Product Safety Act (15 U.S.C. 2051 et seq.), the Flammable Fabrics Act (15 U.S.C. 1191 et seq.), the Refrigerator Safety Device Act (15 U.S.C. 1211 et seq.), Title I of the Magnuson-Moss Warranty—Federal Trade Commission Improvement Act (15 U.S.C. 2301 et seq.), the Federal Trade Commission Act (15 U.S.C. 41 et seq.), and Section 11(1) of the Clayton Act (15 U.S.C. 21(1)) relating to violations of orders issued by the Federal Trade Commission. Upon appropriate certification by the Federal Trade Commission, the institution of criminal proceedings, under the Federal Trade Commission Act (15 U.S.C. 56(b)), the determination whether the Attorney General will commence, defend or intervene in civil proceedings under the Federal Trade Commission Act (15 U.S.C. 56(a)), and the determination under the Consumer Product Safety Act (15 U.S.C. 2076(b)(7)), whether the Attorney General will initiate, prosecute, defend or appeal an action relating to the Consumer Product Safety Commission.

(k) All civil litigation arising under the passport, visa and immigration and nationality laws and related investigations and other appropriate inquiries pursuant to all the power and authority of the Attorney General to enforce the Immigration and Nationality Act and all other laws relating to the immigration and naturalization of aliens except all civil litigation, investigations, and advice with respect to forfeitures, return of property actions, Nazi war criminals identified in 8 U.S.C. 1182(a)(33), 1251(a)(19) and

civil actions seeking exclusively equitable relief which relate to national security within the jurisdiction of the Criminal Division under § 0.55 (d), (f), (l) and § 0.61(d).

[Order No. 423-69, 34 FR 20388, Dec. 31, 1969, as amended by Order 445-70, 35 FR 19397, Dec. 23, 1970; Order 673-76, 41 FR 54176, Dec. 13, 1976; Order 699-77, 42 FR 15315, Mar. 21, 1977; Order 838-79, 44 FR 40498, July 11, 1979; Order 960-81, 46 FR 52345, Oct. 27, 1981; Order 1002-83, 1003-83, 48 FR 9522, 9523, Mar. 7, 1983; Order 1268-88, 53 FR 11646, Apr. 8, 1988]

§ 0.46 Certain civil litigation and foreign criminal proceedings.

The Assistant Attorney General in charge of the Civil Division shall, in addition to litigation coming within the scope of § 0.45, direct all other civil litigation including claims by or against the United States, its agencies or officers, in domestic or foreign courts, special proceedings, and similar civil matters not otherwise assigned, and shall employ foreign counsel to represent before foreign criminal courts, commissions or administrative agencies officials of the Department of Justice and all other law enforcement officers of the United States who are charged with violations of foreign law as a result of acts which they performed in the course and scope of their Government service.

[Order No. 441-70, 35 FR 16318, Oct. 17, 1970]

§ 0.47 Alien Property matters.

The Office of Alien Property shall be a part of the Civil Division:

(a) The following described matters are assigned to, and shall be conducted, handled, or supervised by the Assistant Attorney General in charge of the Civil Division, who shall also be the Director of the Office of Alien Property:

(1) Exercising or performing all the authority, rights, privileges, powers, duties, and functions delegated to or vested in the Attorney General under the Trading with the Enemy Act, as amended, Title II of the International Claims Settlement Act of 1949, as amended, the act of September 28, 1950, 64 Stat. 1079 (50 U.S.C. App. 40),

29

believe the Secretary would have to waive recovery under that section as defeating the purpose of Title II. Because the evidence was insufficient to support the conclusion that Plaintiff knew or should have known of her income reporting obligation when her status changed from wife to widow and because the undisputed testimony showed Plaintiff's reliance on an employee of the SSA for guidance after her husband died, §§ 404.510a and 404.512(a) mandate a finding that Plaintiff is without fault and that recovery of the overpayment would be "against equity and good conscience."

IV. Conclusion

In accordance with the foregoing discussion, this Court will not accept the Report of the United States Magistrate. Instead, the decision of the Secretary to recover overpaid benefits in the amount of $5,559.29 from Plaintiff is reversed. Plaintiff is deemed "without fault" and recovery would be "against equity and good conscience."

The Clerk is directed to send certified copies of this Memorandum Opinion to all counsel of record.

ORDER

In accordance with the Memorandum Opinion filed on this date, it is hereby ORDERED that:

1. The Report and Recommendation of the United States Magistrate, filed on September 17, 1985, and to which Plaintiff filed timely objections on September 30, 1985, is not accepted and the decision of the Secretary is hereby reversed.

2. Plaintiff is deemed to be "without fault" with regard to the overpayment of $5,559.29 in Title II benefits received by her between 1979 and 1981.

3. Pursuant to 20 C.F.R. § 404.512(a) recover of the overpayment would be "against equity and good conscience."

4. The Secretary shall waive recovery of the benefits overpaid to Plaintiff.

5. The Clerk shall send certified copies of this Order to all counsel of record.

Frank J. LUCCHINO, Controller of Allegheny County

v.

FOREIGN COUNTRIES OF BRAZIL, SOUTH KOREA, SPAIN, MEXICO, AND ARGENTINA.

Clv. A. No. 84-2392.

United States District Court, E.D. Pennsylvania.

Jan. 7, 1986.

County controller petitioned for determination that Mexico was discriminating against Pennsylvania aluminum or steel and was thus subject to sanctions of Pennsylvania Trade Practices Act. Mexico petitioned to remove and to dismiss for insufficiency of process, and controller moved to remand. The District Court, Eastern District of Pennsylvania, Ditter, J., held that: (1) petition for determination of discrimination under Trade Practices Act is a civil action in state court and is eligible for removal under Foreign Sovereign Immunities Act; (2) controller's failure to serve process on Mexico in manner prescribed by FSIA justified Mexico's delay in seeking removal; and (3) failure to serve process in manner prescribed by FSIA deprived Commonwealth Court of personal jurisdiction over Mexico and warranted dismissal, although dismissal would be stayed to allow controller to make proper service.

Ordered accordingly.

See also 82 Pa.Cmwlth. 406, 476 A.2d 1369.

1. International Law ⬅10.33

Foreign Sovereign Immunities Act [28 U.S.C.A. §§ 1330, 1391(f), 1441, 1441(d), 1602–1611] applies to petition for determination that foreign country is discriminating against Pennsylvania steel or alu-

0048

the Act of State Doctrine. On April 17, 1984, the commonwealth court rejected Mexico's contentions, found respondent nations to be discriminating against Pennsylvania aluminum and steel products, and ordered the prothonotary of the commonwealth court to place on the foreign registry docket the name of the respondent countries and the specific products of each country whose purchase would be forbidden. *See Lucchino v. Foreign Countries of Brazil, South Korea, Spain, Mexico, and Argentina*, 82 Pa.Cmwlth. 406, 476 A.2d 1369 (1984).

On May 16, 1984, Mexico petitioned to remove the matter to this court pursuant to section 6 of the Foreign Sovereign Immunities Act, 28 U.S.C. § 1441. Presently before the court is the motion of Frank J. Lucchino to remand the matter to the commonwealth court and the motion of Mexico to dismiss for insufficiency of service. For reasons that follow, Lucchino's motion will be denied and Mexico's motion will be granted in part.

[1] As a predicate to Mexico's argument against remand and in favor of dismissal, I must find that the Foreign Sovereign Immunities Act, Pub.L. No. 94–583, 90 Stat. 2891 (codified in scattered sections of 28 U.S.C.) applies to a petition for determination of discrimination brought under the Pennsylvania Trade Practices Act. Lucchino argues that the Foreign Sovereign Immunities Act was intended to primarily cover ordinary legal actions in which a plaintiff seeks damages and not actions such as the one brought against Mexico in this case.

The FSIA was enacted to provide a comprehensive explanation of when and how a party can maintain a lawsuit against a foreign state in a court within the United States and to codify principles for courts to apply in deciding questions of sovereign immunity. *See* H.R.Rep. No. 94–1487, 94th Cong., 2d Sess., *reprinted in* 1976 U.S.

Code Cong. & Ad.News 6604, 6604; *Velidor v. L/P/G Benghazi*, 653 F.2d 812, 816–17 (3d Cir.1981) *cert. dismissed*, 455 U.S. 929, 102 S.Ct. 1297, 71 L.Ed.2d 474 (1982). The legislative history observes that American citizens increasingly are coming into contact with foreign states and suggests that these contacts raise questions of whether this country's citizens will have access to the courts in order to resolve "ordinary legal disputes." *Id.* at 6, 1976 U.S.Code Cong. & Ad.News at 6605.

The congressional concern over the availability of U.S. courts to private citizens bringing ordinary damages cases against foreign states does not exhaust the scope of the Act, however. The House Report stresses the lack of "*comprehensive provisions*" informing parties when they can have recourse to the courts to assert a claim against a foreign state. It continues by emphasizing that two of the Act's objectives were to codify the "restrictive principle"[1] of sovereign immunity and, "to insure that this restrictive principle of immunity is applied in litigation before U.S. Courts." *Id.*

Prior to the enactment of the FSIA, when a foreign government wished to assert immunity it could request the State Department to make a formal suggestion of immunity to the court. H.R.Rep. No. 94–1487, at 7, 1976 U.S.Code Cong. & Ad. News, 6604, 6606. Although the State Department attempted to apply sovereign-immunity principles neutrally, it was often subject to diplomatic pressures to extend the doctrine in particular cases. *See id.* One of the primary goals of the FSIA was to divest from the State Department the power to make immunity decisions and to transfer that power to the courts, which would be free from diplomatic pressure. *See id.*

With the immunity issue withdrawn from the executive branch the only vehicle by which a foreign government may assert

---

1. Under the "restrictive principle" of sovereign immunity, the immunity of a foreign state is restricted to suits involving a foreign state's public acts and does not extend to suits based on its

commercial or private acts. H.R.Rep. No. 94–1487, at 7, *reprinted in* 1976 U.S.Code Cong. & Ad.News 6604, 6605.

sovereign immunity is through the FSIA. Accordingly, the FSIA should be read to encompass all matters before federal and state courts where a foreign government asserts a claim of immunity. This conclusion is buttressed by the house report which states that the proposed act both "sets forth the sole and exclusive standards to be used in resolving questions of sovereign immunity raised by foreign states before Federal and State courts in the United States ...," *id.* at 12, 1976 U.S.Code Cong. & Ad.News at 6610, and "prescribes ... the procedures for commencing a lawsuit against foreign states in both Federal and State courts." *Id.* In the face of this legislative background, I conclude that the FSIA applies to a petition for determination of discrimination under the Pennsylvania Act.

Having determined that the FSIA should not be read as narrowly as plaintiff urges, I must next consider whether the requirements of the Act's removal provisions have been satisfied.

[2] In order for an action against a foreign government to be eligible for removal pursuant to this section, it must be a "civil action brought in a state court; ...." *See* Foreign Sovereign Immunities Act § 6, 28 U.S.C. § 1441(d). Because the statute does not authorize the interruption of state administrative proceedings, the removal court must determine whether the state body from which the case was dislodged is judicial or administrative in character. *See* 14A C. Wright, A. Miller & F. Cooper, *Federal Practice and Procedure* § 8721, at 205-06 (2d ed. 1985). If the proceeding is found to be judicial, it will be eligible for removal: conversely, if the proceeding is found to be administrative, removal is unavailable.

In *Upshur County v. Rich*, 185 U.S. 467, 10 S.Ct. 651, 34 L.Ed. 196 (1890), the Supreme Court held that a West Virginia "county court," which was charged with the responsibility of reviewing tax assessments, was not a body from which a matter could be removed. The Court observed that the mere fact that a particular body is labeled as a court does not end the inquiry: rather, a functional analysis must be undertaken to determine the nature of the state proceeding. *Id.* at 470-71, 10 S.Ct. at 652. *See also Commissioners of Road Improvement District No. 2 v. St. Louis Southwestern Ry. Co.*, 257 U.S. 547, 42 S.Ct. 250, 66 L.Ed. 864 (1922).

Under this functional analysis, a court must focus on the procedures and enforcement powers of the state body, the respective state and federal interests in both the subject matter and the provision of a forum, and the traditional locus of jurisdiction over similar matters. *Volkswagen de Puerto Rico, Inc. v. Puerto Rico Labor Relations Board*, 454 F.2d 38, 44 (1st Cir. 1972). *See also Floeter v. C.W. Transport, Inc.*, 597 F.2d 1100, 1102 (7th Cir.1979); *In re Registration of Edudata Corp.*, 599 F.Supp. 1089, 1090 (D.Minn.1984); *Martin v. Schwerman Trucking Co.*, 446 F.Supp. 1130 (E.D.Wis.1978).

[3] When all the factors are considered, I must conclude that a petition for determination of discrimination is a civil action brought in a state court. First, a review of the commonwealth court's general jurisdictional grants reveals that the court's powers are unquestionably judicial in nature. The court has original jurisdiction over certain civil actions brought by or against the Commonwealth of Pennsylvania. *See* 42 Pa.Cons.Stat.Ann. § 761 (Purdon Supp. 1985). It has jurisdiction over certain appeals from final orders of the courts of common pleas, *id.* § 762, final decisions of government agencies, *id.* § 763, and awards of arbitrators. *Id.* 763. To aid both its original and appellate jurisdiction, the court has been given the power to issue writs and processes. *Id.* § 552. Furthermore, the commonwealth court is bound to follow Pennsylvania's rules of civil procedure and rules of evidence. *See* Pa. Const., art. V, § 10(c); Pa.R.App.P; 103; Pa.R. Civ.P. 51.

The commonwealth court also sits as a judicial body when it presides over a petition for determination of discrimination. The procedure is adversarial in nature and may be initiated by someone outside the Pennsylvania government. Petitions may be filed with the court by a public agency, importer, or Pennsylvania taxpayer, must be served upon certain representatives of the allegedly discriminating foreign nation, and, like a complaint, must specifically set forth the alleged discrimination. *See* Pa. Stat.Ann. tit. 71, § 778.106(a) (Purdon Supp.1985). The foreign nation is permitted to respond to the allegations of discrimination by presenting testimony. *Id.* § 778.106(b). In reaching a decision as to whether a foreign country discriminates against Pennsylvania steel or aluminum products the court is directed to employ a decidedly judicial function, i.e., to evaluate evidence against a statutorily-designed definition of discrimination. *See id.* § 773.102; 778.107.

While Pennsylvania has an interest in regulating the products that are to be used in public-agency projects, far stronger federal interests are implicated in this case. First, through the FSIA, Congress has expressed a strong preference for allowing defendant foreign nations to remove cases to federal court. *See generally* H.R.Rep. No. 94-1487, 94th Cong., 2d Sess., *reprinted in* 1976 U.S.Code Cong. & Ad.News 6604. Second, because the Pennsylvania Act regulates international trade and commerce, it places itself within an area of particular federal concern. *See e.g.,* 19 U.S.C. 1671d (empowering the U.S. International Trade Commission to determine whether there is a material injury to a domestic industry by reason of imports of certain merchandise).

The final factor, the traditional locus of this type of power, may well mitigate in favor of a conclusion that a petition for determination of discrimination is administrative in nature because public-appropriations issues are generally handled by executive or legislative branches of government as opposed to the judicial branch. None-

theless, since there is a strong federal interest in finding this procedure to be judicial and Pennsylvania has fashioned the procedure as judicial and delegated it to a judicial body, I conclude that a petition for determination of discrimination is judicial in character and hence is eligible for removal under section 1441(d).

[4] Lucchino next argues that Mexico's removal petition was not timely filed, and therefore, the case must be remanded. Under 28 U.S.C. § 1441(d), the petition for removal may be filed within the time limits imposed by 28 U.S.C. § 1443. However, these limits "may be enlarged for cause shown." 28 U.S.C. § 1441(d). In cases such as this where a defendant is required to be provided a copy of the initial pleading, section 1446 mandates that the removal petition be filed within 30 days after defendant was served.

On January 6, 1984, the Mexican Embassy in Washington, D.C. received a copy of Lucchino's initial pleading. Mexico's removal petition was filed on May 16, 1984. Consequently, in order to avoid remand to the commonwealth court, Mexico must show cause for its delay in filing the petition.

Mexico asserts that Lucchino's failure to make service in accordance with the provision of the FSIA, 28 U.S.C. § 1608(a), provides it with good cause for the delay. Section 1608 offers the exclusive means by which a party in a court of the United States or a state may serve process upon a foreign state. In the absence of either a special arrangement between the plaintiff and the foreign state or an applicable international convention on service of judicial documents, service may only be made by sending to specified individuals a copy of the summons and complaint and a notice of suit, together with a translation of each into the official language of the foreign state.[3]

2. The statute also describes the party who should be the recipient of service on behalf of a

Columbia, to the attention of the Director of Consular Services. *See* 28 U.S.C. § 1608(a)(4)

with writ of foreign attachment issued [1] pursuant to which respondent's funds on deposit in New York banks were attached.

The respondent, Republic of Korea, appearing specially, moves to vacate the attachment and to dismiss the libel on the ground that as a recognized sovereign and independent state it is immune from suit.

The libel alleges that on April 18, 1951 libellant's ship, The Virginia City Victory, which had unloaded a cargo of rice at the port of Pusan, Korea, was damaged by respondent's lighter which had assisted in the unloading operation. The respondent alleges that the cargo of rice had been acquired by it—not for sale, resale, barter or exchange—but for free distribution to its civilian population and military personnel in Korea.

Libellant commenced an earlier suit on the same claim and effected personal service of process on respondent's Consul General in New York. A motion to dismiss the prior suit was made based upon the affidavit of the Consul General who, though asserting sovereign immunity on behalf of his government, also stated that in any event he was not authorized to accept service of process on its behalf. The libellant appeared but did not oppose the motion and accordingly the suit was dismissed. It is obvious that this disposition in nowise determined the claim of sovereign immunity and the respondent's contention that the dismissal is res judicata is without merit.

Following the attachment of the bank accounts in the pending suit the Korean Ambassador made formal representation to the Secretary of State of the United States requesting the assistance of the State Department in establishing the immunity of the Republic of Korea from suit, and of its funds from attachment. On this motion the United States Attorney for the Southern District of New York, acting under the direction of the Attorney General, has filed a sug-

[1] Supreme Court Admiralty Rule No. 2, 28 U.S.C.A.

gestion with the Court. Attached to the suggestion are copies of the Ambassador's communication to the Secretary of State and the latter's letter to the Attorney General setting forth the Department's position.

Since the suggestion filed with the Court restates the State Department position in practically the same language as that contained in its letter to the Attorney General, the following quotation therefrom is appropriate for consideration of the issue posed on this application:

"The letter from the Secretary of State of the United States to the Attorney General of the United States recognizes that under international law property of a foreign government is immune from attachment and seizure, and that the principle is not affected by a letter dated May 19, 1952, from the Acting Legal Adviser to the Department of State to the Acting Attorney General of the United States, in which the Department of State indicated its intention to be governed by the restrictive theory of sovereign immunity in disposing of requests from foreign governments that immunity from suit be suggested in individual cases. The Department of State accordingly has requested that a copy of the note of the Ambassador of Korea be presented to the Court and that the Court be informed of the Department of State's agreement with the contention of the Ambassador that property of the Republic of Korea is not subject to attachment in the United States.

"The Department of State, however, has not requested that an appropriate suggestion of immunity be filed, inasmuch as the particular acts out of which the cause of action arose are not shown to be of purely governmental character."

Thus the State Department has taken a direct and unequivocal position with respect to the Republic of Korea's claim that its funds are immune from attachment, but has declined to make the requested suggestion of immunity from suit, asserting that upon the facts as presented it does not appear the claim rests upon acts of a purely governmental character.

It is therefore not surprising that the parties are in sharp disagreement as to the effect which the Court should give to the suggestion. The libellant insists that the suggestion is an outright rejection of the claim of immunity and that the statement in it that the property of a foreign sovereign is not subject to attachment and seizure is not only gratuitous but an intrusion on the judicial function. The respondent, on the other hand, argues that the funds are immune from attachment generally, and specifically so because they were used and required by it in the United States for public and governmental purposes; further that it may not be sued in our courts without its consent; and finally it urges that even under the new policy of the State Department whereby the rule of absolute sovereign immunity was relaxed in favor of the newer or restrictive theory of sovereign immunity with respect to private acts or commercial transactions,[*] it is still entitled to exemption from suit since the acts on which the libellant founds its claims were public and governmental—that the distribution of rice during the war period to its military and civilian personnel was a governmental function involving the safety and preservation of the nation and the well-being of its people.

[1] It must be recognized that primarily the claim by a foreign sovereign of immunity from suit or process presents a political rather than a judicial question. This is necessarily so, for dealings between our own and a friendly foreign government are carried on through diplomatic channels by those officials to whom the matters are committed. Lest an untoward incident disturb amicable relations between the two sovereigns, it has long been established that the Court's proper function is to enforce the political decisions of our Department of State on such matters. This course entails no abrogation of judicial power; it is a self-imposed restraint to avoid embarrassment of the executive in the conduct of foreign affairs.[3]

[2–4] The suggestion before me states explicitly that the principle of the immunity of a foreign government's property from attachment and seizure is not affected by the State Department's favorable attitude towards the restrictive theory of sovereign immunity, and that the Department is in agreement with the respondent's contention that its property "is not subject to attachment in the United States." Thus by its own interpretation of its liberal policy against unrestricted immunity, the Department of State declares in unmistakable language that it adheres to the doctrine that the property of a foreign government is immune from attachment.[4] Indeed the principle is so well established that but for the letter of May 19, 1952 its applicability here could hardly be open to doubt. To borrow a phrase, "Deposits may be the life-blood necessary for national existence."[5] Any vestige of doubt is dispelled by the State Department's suggestion filed with the Court "as a matter of comity between the Government of the United States and the Government

2. 26 Dept.St.Bull. 984, June 23, 1952.

3. Republic of Mexico v. Hoffman, 324 U.
S. 30, 35, 65 S.Ct. 530, 89 L.Ed. 729;
Ex parte Republic of Peru, 318 U.S.
578, 583, 63 S.Ct. 793, 87 L.Ed. 1014;
Oetjen v. Central Leather Co., 246 U.S.
297, 302, 38 S.Ct. 309, 62 L.Ed. 726;
Doe ex dem. Clark v. Braden, 16 How.
635, 657, 14 L.Ed. 1090.

4. Ex parte Republic of Peru, 318 U.S.
578, 63 S.Ct. 793, 87 L.Ed. 1014; Berizzi
Brothers Company v. Steamship Pesaro,
271 U.S. 562, 46 S.Ct. 611, 70 L.Ed.
1088.

5. Dissenting opinion, Mr. Justice Reed,
National City Bank of New York v. Republic of China, 348 U.S. 356, 372, 75
S.Ct. 423, 433.

of the Republic of Korea." Under the circumstances, the Court's indicated course is succinctly stated by Mr. Chief Justice Stone: "[C]ourts may not so exercise their jurisdiction, by the seizure and detention of the property of a friendly sovereign, as to embarrass the executive arm of the government in conducting foreign relations * * *. Upon recognition and allowance of the claim by the State Department and certification of its action presented to the court by the Attorney General, it is the court's duty to surrender the vessel and remit the libellant to the relief obtainable through diplomatic negotiations. * * * The certification and the request that the vessel be declared immune must be accepted by the courts as a conclusive determination by the political arm of the Government that the continued retention of the vessel interferes with the proper conduct of our foreign relations. Upon the submission of this certification to the district court, it became the court's duty, in conformity to established principles, to release the vessel and to proceed no further in the cause."[6]

Accordingly there is no alternative to the vacatur of the attachment.[7] I find nothing in Sullivan v. State of San Paulo, 2 Cir., 122 F.2d 355, relied upon by libellant, which requires the Court to uphold the attachment in the face of the unambiguous position of the Department of State on the issue of immunity from attachment. On the contrary, it reaffirms the general principles by which the Court has reached its conclusion.

Since jurisdiction here rests on the seizure under the writ of attachment, the lifting of the attachment makes it unnecessary for the Court to decide the interesting question of whether the Republic of Korea would otherwise be entitled to immunity from suit even under the restrictive theory. Likewise, I do not pass upon the libellant's contention that since the State Department declined to suggest immunity from suit following representations made by the Korean Ambassador, the respondent may not now be heard to contest before the Court the Department's ruling on this issue.

The motion to vacate the attachment is granted.

Settle order on notice.

6. Ex parte Republic of Peru, 318 U.S. 578, 588-589, 63 S.Ct. 793, 709, 87 L.Ed. 1014.

7. It may be urged that the restrictive theory of sovereign immunity is illusory since in many instances jurisdiction can only be acquired by attachment of funds or property on the filing of suit. Indeed, libellant urges there is a manifest contradiction in the State Department's position that the Republic of Korea's funds are immune from attachment although not immune from suit.

The short answer is that even in those instances where jurisdiction is obtained other than by attachment there is no assurance of the collection of any judgment that may be obtained against the foreign state. See Brandon, Sovereign Immunity of Government-Owned Corpo- rations and Ships, 39 Cornell L.Q. 425 (1954); Dexter & Carpenter v. Kunglig Jarnvagsstyrelsen, 2 Cir., 43 F.2d 705. Whether in the light of the relaxation of the absolute theory of sovereign immunity a distinction should now be made between seizure of property necessary to vest jurisdiction and seizure of property under execution to enforce collection of a judgment, where jurisdiction has been previously acquired without attachment or seizure, need not be decided at this time. A distinction might be urged on the ground that in the instance where attachment is necessary to vest jurisdiction, the basic issues are still unresolved, whereas in the instance of jurisdiction already acquired the Court has passed on all issues including whether or not the claim rests upon acts of a private rather than a public character.

5145-11-18 (END)

: 61:71 : L-8-26

외 무 부

110-760 서울 종로구 세종로 77번지   /(02)720-2337   /(02)720-4094

문서번호 조약20400-4/2.

시행일자 1992. 8.17. (   )

취급		장 관
보존		
국 장	전 결	
심의관		
과 장		
기안	김순규	협조

수신 서울민사지방법원장

참조

제목 의견회보

　　　1. 귀원 민사 제15부의 사실조회(92.6.15.자. 92.7.2.자 및 92.7.10.자)와
우리부 법규20420-6873(91.2.13.)과 관련입니다.

　　　2. 귀원 사실조회에 대하여 주미 우리대사관의 확인과 우리부의 의견을
별첨 회보하오니 참고하시기 바랍니다.

첨부: 1. 의견서 1부.
　　　2. 미법무부 부령 1부.
　　　3. 미국에서의 대한민국을 피고로 한 소송기록 1부. 끝.

외 무 부 장 관

0055

1. 이 사건의 당사자문제
   o 미국 정부기관이 관련된 소송에서의 소송당사자는 법률에 특별한
     예외규정이 없는 한 미국이 되며, 따라서 본 사건의 경우에도 미국이
     소송 당사자가 되어야 함.
   o 외국에서의 소송을 포함하여 미국 정부를 상대로 한 모든 소송은
     연방법상 법무부장관이 관장하도록 되어 있는바, 미 법무부내에서는
     민사국(Civil Division, Commercial Litigation Branch)에서 담당하고
     있고 특히 외국소송에 관한 사항의 처리를 위하여 민사국내에 외국소송
     담당관실(Office of Foreign Litigation)을 두고 있음.
   o 이와 관련한 관련규정은 아래와 같음.
     - 미연방법 28편 516조~520조(United States Code 18 § 516 ~ § 520)
     - 미법무부부령(No.441~70, 35 Federal Regulation 16318)
   o 이 사건 당사자 문제에 관한 상기 판단은 외국소송담당관실 실장 David
     Epstein의 견해임을 참고로 첨언함.

2. 이 사건의 당사자가 미국정부일 경우 소송진행방법
   o 우리나라에는 외국을 당사자로 한 소송의 경험이 일천하여 관행이
     확립되어 있지 아니할 것으로 보이나 미국의 외국주권 면제법(Foreign
     Sovereign Immunity Act of 1976)에 규정된 미국에서 외국을 상대로 한
     영장송달 방식을 역으로 적용할 경우 아래와 같은 절차를 취하여야 할
     것임.

   ┌───┐
   │ 법원은 소장, 소환장 및 통지서(각 사본 2통)을 │
   │ 외무부장관에 송부 (등기우편)   │
   └───┘

   ┌───┐
   │ 외무부장관은 주한 외교공관에 외교공한으로   │
   │ 송부   │
   └───┘

```
┌─────────────────────────────────────────────┐
│  주한 외교공관은 미국무부를 경유 미 법무부에      │
│  통보                                          │
└─────────────────────────────────────────────┘

┌─────────────────────────────────────────────┐
│  미국의 응소여부 판단 및 소송대리인 선임          │
└─────────────────────────────────────────────┘
```

3. 미국내에서의 대한민국을 피고로 한 민사소송의 실예

    가. 미국내에서 한국정부를 상대로 한 민사소송 사례를 미연방 법원행정처 통계국 등에 확인한 결과 최근 2~3년간의 소송사례는 없으나 1986년 및 1955년의 2건이 파악되는바 내용은 아래 및 별첨과 같음.

        (1) 1986년 사건

           - 사 건 명: LUCCHINO V. FOREIGN COUNTRIES OF BRAZIL、 SOUTH KOREA, SPAIN, MEXICO, ARGENTINA (631 F SUPP. 821)

           - 판결법원: EASTERN DISTRICT OF PENNSYLVANIA

           - 판결일시: 1986.1.17.

           - 판결내용: 별첨 판결문 사본 참조

        (2) 1955년 사건

           - 사 건 명: N.Y. CUBA MAIL STEAMSHIP COMPANY V. REPUBLIC OF KOREA (132 F SUPP. 684)

           - 판결법원: SOUTHERN DISTRICT OF N.Y.

           - 판결일시: 1955. 7.13.

           - 판결내용: 별첨 판결문 사본 참조

    나. 상기관련 외국법정에서 미국을 상대로 한 소송에서 미국 정부가 승소한 기록은 수없이 많으며, 미국이 패소한 경우도 적지 아니한 바 그 주요예는 우리부 연호[법규 20420-6873(91.2.13.)] 3(나)를 참조 하시기 바람. 끝.

0057

외 무 부

종 별 :

번 호 : HLW-0460   일 시 : 92 0828 1800

수 신 : 장관(미이)

발 신 : 주호노루루총영사대리

제 목 : 소송사례 파악

대:WUSM-0042

    대호 당지 연방법원및 주 법원에 문의한결과, 외국정부를 피고로 하는 소송은 USCOURT(연방법원 지원)에서 취급하게 되는데 아국정부를 상대로 한 소송은 1900년이래취급된바 없다고 함.끝.

    (총영사 대리 김종만-국장)

미주국

PAGE 1   92.08.29   15:34 CJ

외신 1과 통제관

0058

정 리 보 존 문 서 목 록

기록물종류	일반공문서철	등록번호	2012090573	등록일자	2012-09-18
분류번호	729.42	국가코드		보존기간	영구
명 칭	SOFA 대상요원 출입국 현황, 1989-91				
생 산 과	안보정책과	생산년도	1989~1991	담당그룹	
내용목차	* SOFA 제8조1항에 의거, 현황 파악 추진				

0001

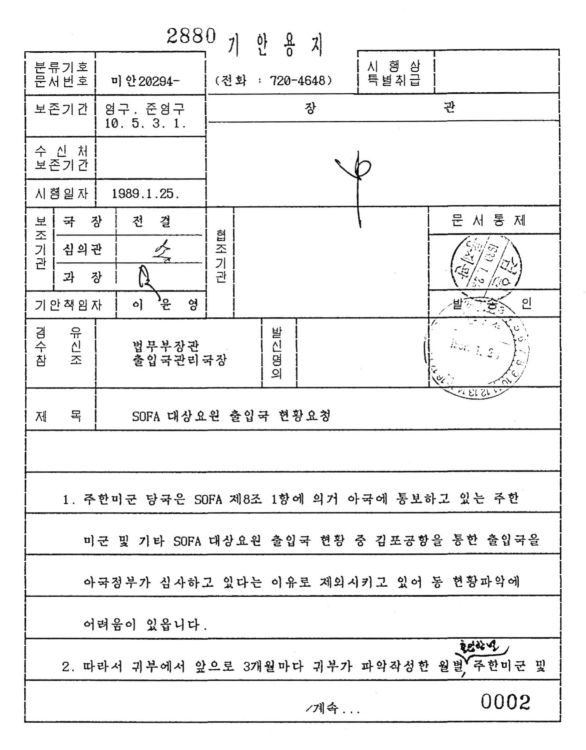

기 안 용 지

2880

분류기호 문서번호	미안20294-	(전화 : 720-4648)	시 행 상 특 별 취 급	

보존기간	영구. 준영구 10. 5. 3. 1.	장 관

수 신 처 보존기간	

시행일자	1989.1.25.

보조기관	국 장	전 결	협조기관		문 서 통 제
	심의관				
	과 장				
기안책임자	이 윤 영			발 신 인

경수참	유신조	법무부장관 출입국관리국장	발신명의	

제 목	SOFA 대상요원 출입국 현황요청

1. 주한미군 당국은 SOFA 제8조 1항에 의거 아국에 통보하고 있는 주한

미군 및 기타 SOFA 대상요원 출입국 현황 중 김포공항을 통한 출입국을

아국정부가 심사하고 있다는 이유로 제외시키고 있어 동 현황파악에

어려움이 있읍니다.

2. 따라서 귀부에서 앞으로 3개월마다 귀부가 파악작성한 월별 주한미군 및

/계속...   0002

체육심사과 (김남일 사무관)
(8) 2285

기타 SOFA 대상요원 출입국 현황을 당부로 통보하여 주시면 동 현황

파악에 많은 도움이 될 것이며 주한미군 당국 자료와의 비교 검토가

가능하리라 사료됩니다.

3. 아울러 '87-88 년간 월별 주한미군 및 기타 SOFA 대상요원의 출입국

현황도 당부로 송부하여 주시기 바랍니다.   끝.

0003

14 April 1977

Dear Mr. Han

    Inclosed are 20 copies each of Revised Exit/Entry Reports
for the months of September 1976 through January 1977, inclusive.
The revised reports provide corrected data concerning arrivals
at Kimpo. We have revised our procedure for obtaining this data
and expect not to have to submit revised reports in the future.

                                Sincerely

                                DONALD S. MACDONALD
                                DAC, GS15
                                C, International Relations Br

Mr. HAN Chang Sik
Chief, North American Division II
Bureau of American Affairs
Ministry of Foreign Affairs

0004

DISPOSITION FORM

For use of this form, see AR 340-15; the proponent agency is The Adjutant General's Office.

REFERENCE OR OFFICE SYMBOL	SUBJECT
AJ	Statistics on Arrivals and Departures of Military Personnel

TO ACofS, J5 ATTN: EJ-IR	FROM ACofS, J1	DATE 29 APR 1976 CMT 1 MAJ Behrens/sst/6035

1. Reference your DF, 15 Jan 76, subject as above. We have investigated the accuracy of arrival and departure figures which are given to you each month.

2. The figures provided you have been a compilation of the numbers reported to us from Osan, Taegu, Kunsan, and Pusan, reporting all military and military contract type flights, processed by the Military Airlift Command (MAC). These figures have been accurate, however, they have not been all inclusive. We have discovered that a segment of the Army population has been allowed to depart through other channels. Specifically, by commercial means (commercial reimbursable) without reporting through the Military Airlift Command. During the month of March, 383 US Forces personnel (Army) departed by this means. This category has now been added to the figures which are provided you each month and they were shown on our latest report to you on 23 Apr 76.

3. Although the value of departure/arrival figures to the SOFA Committee is recognized, total on-board US Forces strength is most accurately reported through the US Forces Strength Memorandum provide the Director J-3, ROK JCS, each month. Any persistent discrepancies would best be reconciled by use of this memorandum.

4. Our future monthly Exit/Entry Report (ROK/US SOFA) will include the category "commercial reimbursable" which will hopefully clear up any discrepancy and provide the required data.

LOUIS E. HERRICK
Colonel, USAF
ACofS, J1

주 무	76	담 당	과 장	심의관	국 장	차관보	차 관	장 관

0005

駐韓美軍의 月別 增減數 및 月末 駐韓美軍 全体数

(△:增, ▼:減)

月別\種別	1月	2月	3月	4月	5月	6月	7月	8月	9月	10月	11月	12月
增減	△1,319	△19	△535	△649	△178	△242	△443	△1105	△585	△175	△595	▼54
駐韓美軍數	33,688	33,707	34,242	34,898	35,067	35,309	35,752	36,857	37,437	37,612	38,207	38,223

駐韓美軍의 出入國 狀況 (1994. 1. ~ 12.)

1. 入國者

月 / 種別	1月	2月	3月	4月	5月	6月	7月	8月	9月	10月	11月	12月
美軍	4,868	3,408	4,574	4,534	4,148	4,187	4,488	4,121	4,052	3,868	4,521	3,425
軍屬	124	103	110	137	167	126	115	133	158	163	132	122
招請契約者	86	20	28	8	24	24	31	142	11	10	18	7
家族	226	178	238	445	401	467	514	634	944	465	448	367
計	5,304	3,708	4,851	5,124	4,789	4,814	5,148	5,830	5,165	4,506	5,121	3,971

2. 出國者

月 / 種別	1月	2月	3月	4月	5月	6月	7月	8月	9月	10月	11月	12月
美軍	3,545	3,388	4,038	3,007	3,891	3,855	4,045	3,816	3,472	3,633	3,856	3,508
軍屬	92	83	76	135	120	112	82	124	103	125	97	127
招請契約者	63	28	92	22	43	43	98	52	58	32	48	75
家族	117	142	224	558	605	446	447	594	598	357	545	361
計	3,861	3,692	4,411	4,502	4,659	4,457	4,692	4,585	4,272	4,147	4,546	4,076

0007

1773   기 안 용 지

분류기호 문서번호	미안 20294-	(전화 : 720-2324)	시 행 상 특 별 취 급	
보존기간	영구.준영구. 10. 5. 3. 1.		장 관	
수 신 처 보존기간				
시행일자	1990. 1. 17.			

보조 기관	과 장	전 결	협 조 기 관		문 서 통 제
					검열 1990. 1. 17
기안책임자		권 희 석			1990. 1. 17

경 유 수 신 참 조		수신처 참조	발신명의		

제 목	SOFA 대상요원 출입국 현황통보

주한미군 당국이 송부해온 89.10-12월간의 SOFA 대상요원

출입국 현황을 별첨 송부합니다.

첨 부 : 동 출입국 현황 2부.   끝.

수신처 : 법무부장관 (출입국관리국장),

국방부장관 (정책기획관),

상공부장관 (통상진흥국장)   .0008.

318   주한미군지위협정(SOFA) 관련 기타 자료

DEPARTMENT OF THE ARMY
HEADQUARTERS, EIGHTH UNITED STATES ARMY
APO SAN FRANCISCO 96301-0009

REPLY TO
ATTENTION OF:

AJ-ED (27)   9 January 1990

MEMORANDUM FOR US SOFA, ATTN: DC-SA, APO 96301-0010

SUBJECT: Entry/Exit Report

The following Entry/Exit Information is provided for 4th Qtr, 1989.

OCT 89	US MIL ARR	US MIL DEP	CIVILIAN ARR	CIVILIAN DEP	INV CONT ARR	INV CONT DEP	DEPENDENT ARR	DEPENDENT DEP	TOTAL ARR	TOTAL DEP
Kimpo	*	990	*	51	*	1		59	*	1101
Osan	3614	3329	169	202	16	28	900	1043	4699	4602
Kwangju	251	4	0	0	0	0	0	0	251	4
Kunsan	550	268	9	4	0	0	20	9	579	281
Taegu	1056	837	41	35	27	22	0	0	1124	894
TOTAL	5471	5428	219	292	43	51	920	1111	6653	6882

NOV 89	ARR	DEP	ARR	DEP	ARR	DEP	ARR	DEP	ARR	DEP
Kimpo	*	1085	*	54	*	2	*	73	*	1214
Osan	3385	3574	192	158	1	0	892	922	4470	4654
Kwangju	269	606	0	3	0	0	0	2	269	611
Kunsan	183	427	8	6	0	0	34	11	225	444
Taegu	121	238	21	17	37	40	0	0	179	295
TOTAL	3958	5930	221	238	38	42	926	1008	5143	7218

DEC 89	ARR	DEP	ARR	DEP	ARR	DEP	ARR	DEP	ARR	DEP
Kimpo	*	975	*	22	*	0	*	80	*	1077
Osan	2929	2729	176	224	3	3	982	1048	4090	4004
Kwangju	0	0	0	0	0	0	0	0	0	0
Kunsan	222	75	12	1	0	0	65	16	299	92
Taegu	79	66	32	20	0	0	25	29	136	115
TOTAL	3230	3845	220	267	3	3	1072	1173	4525	5288

* Statistics do not include Kimpo arrivals.

MICHAEL P. BURNAM
Deputy Director of Education

0009

18092

기 안 용 지

(전화 : 720-2324   )

분류기호 문서번호	미안 01225-			시 행 상 특별취급	
보존기간	영구·준영구. 10. 5. 3. 1.		장 관		
수 신 처 보존기간					
시행일자	1990. 4. 24.				
보 조 기 관	국 장		협 조 기 관		문 서 통 제
	심의관				
	과 장	전 결			
기안책임자	김 인 철				발 송 인
경 유 수 신 참 조	수 신 처 참 조		발 신 명 의		
제 목	SOFA 대상요원 출입국 현황 통보				

SOFA 제 8조 1항에 의거 주한 미군 당국이 송부해온

90. 1-3 월간의 SOFA 대상요원 출입국 현황을 별첨 송부

합니다.

첨   부 : 동 출입국 현황 2부   끝.

수신처 : 법무부장관 (출입국관리국장)· 국방부 장관

(정책기획관)· 상공부 장관 (통상진흥국장)

0010

REPLY TO
ATTENTION OF:

AJ—ED (27)   16 April 1990

MEMORANDUM FOR US SOFA, ATTN: DC-SA, APO 96301-0010

SUBJECT: Entry/Exit Report

The following Entry/Exit Information is provided for 1st Qtr, 1990.

	US MIL		CIVILIAN		INV CONT		DEPENDENT		TOTAL	
JAN 90	ARR	DEP	ARR	DEP	ARR	DEP	ARR	DEP	ARR	DEP
Kimpo	*	806	*	28	*	0		4	*	898
Osan	2713	2977	118	144	0	17	553	668	3384	3806
Kwangju	2	1	0	0	0	0	2	3	4	4
Kunsan	137	114	10	1	0	0	36	5	183	120
Taegu	238	182	20	15	31	23	0	0	289	220
TOTAL	3090	4080	148	188	31	40	591	680	3860	5048
FEB 90										
Kimpo	*	925	*	44	*	2	*	44	*	1015
Osan	4621	2437	161	181	4	2	525	574	5311	3194
Kwangju	2	0	0	1	0	0	0	1	2	2
Kunsan	82	224	10	2	0	0	12	11	104	237
Taegu	76	40	8	41	0	0	0	15	84	96
TOTAL	4781	3626	179	269	4	4	537	645	5501	4544
MAR 90										
Kimpo	*	1317	*	33	*	0	*	88	*	1438
Osan	10425	11466	129	149	111	90	631	621	11296	12326
Kwangju	6	1	0	1	0	0	0	0	6	2
Kunsan	358	62	1	0	0	0	15	3	374	65
Taegu	173	216	36	41	0	0	19	19	228	276
TOTAL	10962	13062	166	224	111	90	665	731	11904	15545

* Statistics do not include Kimpo arrivals.

JOE M. COTHRON
Director of Education

0011

36142

기 안 용 지

분류기호 문서번호	미안 20294-	(전화 : 720-2239)	시 행 상 특별취급	
보존기간	영구·준영구. 10 . 5 . 3 . 1 .	장 관		
수신처 보존기간				
시행일자	1990. 7. 24.			

보 조 기 관	과 장 전 결		협 조 기 관			문 서 통 제
						1990. 7. 24
기안책임자	김 인 철					1990. 7. 24

경 유 수 신 참 조	수 신 처 참 조	발 신 명 의	

제 목	SOFA 대상요원 출입국 현황통보

주 한 미 군 당국이 송부해온 89. 4 - 6 월간의 SOFA   대상

요원 출입국 현황을 별첨 송부합니다.

첨 부 : 동 출입국 현황 2부.   끝.

수 신 처 : 법무부 장관 (출입국 관리국장) · 국방부 장관

(정책기획관) · 상공부 장관 (통상진흥국장)

0012

1505 - 25 (2-1) 일 (1) 갑   190mm×268mm 인쇄용지 2급 60g /㎡
85. 9. 9. 승인   "내가아낀 종이 한장 늘어나는 나라살림" 가 40-41 1988. 8. 31.

322   주한미군지위협정(SOFA) 관련 기타 자료

52409 기 안 용 지

분류기호 문서번호	미안 01225-	(전화 : 720-2324)	시 행 상 특별취급	
보존기간	영구.준영구. 10. 5. 3. 1.	장 관		
수 신 처 보존기간				
시행일자	1990. 10. 23.			

보조 기관	과 장	전 결	협 조 기 관			문 서 통 제
기안책임자		김 인 철				발송인

경 유 수 신 참 조	수신처 참조	발신명의		발 송 1990 10 23

제 목	SOFA 대상요원 출입국 현황 통보

  SOFA 제8조 1항에 의거 주한미군 당국이 송부해온 90.7-9월간의

SOFA 대상요원 출입국 현황을 별첨 송부합니다.

    첨 부 : 동 출입국 현황 2부.   끝.

  수신처 : 법무부장관(출입국관리국장), 국방부장관(정책기획관),

     상공부장관(통상진흥국장)

0013

18 October 1990

DC-SA

SUBJECT: Notification of Numbers and Categories of Persons
Entering and Departing the Republic of Korea

IN TURN:

Republic of Korea Secretary
ROK-US Joint Committee
Ministry of Foreign Affairs
Republic of Korea

Bureau of Legal Affairs
Ministry of Justice
Republic of Korea

In accordance with the Procedures for the Implementation of
Paragraph 1 of Article VIII and Paragraph 3(b) of Article XV of
the Republic of Korea - United States Status of Forces Agreement
as approved at the 6th Joint Committee meeting and amended at
the 14th Joint Committee meeting, the report at Enclosure 1
pertaining to numbers and categories of persons entering and
exiting the Republic of Korea during the period July 1990
through September 1990 is submitted.

Encl.   Entry/Exit
        Report

MALCOLM H. PERKINS
Major, USAF
Alternate US Secretary

0014

HEADQUARTERS, UNITED STATES FORCES, KOREA
APO SAN FRANCISCO 96301-0010

REPLY TO
ATTENTION OF:

AJ—ED   (27)   15 October 1990

MEMORANDUM FOR US SOFA, ATTN: DC—SA, APO 96301-0010

SUBJECT: Entry/Exit Report

The following Entry/Exit Information is provided for 3rd Qtr, 1990.

	US MIL		CIVILIAN		INV CONT		DEPENDENT		TOTAL	
JUL 90	ARR	DEP	ARR	DEP	ARR	DEP	ARR	DEP	ARR	DEP
Kimpo	*	993	*	28	*	0		101	*	1122
Osan	3414	3125	155	188	27	3	1419	1535	·5015	4851
Kwangju	0	0	0	0	0	0	0	0	0	0
Kunsan	107	50	4	3	0	0	11	22	122	75
Taegu	81	72	98	91	0	0	65	49	244	212
TOTAL	3602	4240	257	310	27	3	1495	1707	5381	6260
AUG-90										
Kimpo	*	1081	*	32	*	0	*	205	*	1318
Osan	2673	2512	157	177	10	2	1068	1331	3908	4022
Kwangju	5	2	0	0	0	0	0	0	5	2
Kunsan	120	111	2	4	0	0	9	27	131	142
Taegu	95	72	45	39	0	0	36	17	176	128
TOTAL	2893	3778	204	252	10	2	1113	1580	4220	5612
SEP 90										
Kimpo	*	1051	*	51	*	99	*	0	*	1190
Osan	1918	1560	77	75	3	2	281	313	2279	1950
Kwangju	3	1	0	0	0	0	0	1	3	2
Kunsan	73	31	5	2	0	0	14	0	92	33
Taegu	40	18	28	20	0	0	13	7	81	45
TOTAL	2034	2661	110	148	3	101	308	321	2455	3220

* Statistics do not include Kimpo arrivals.

JOE M. COTHRON
Director of Education

0015

DC-SA   18 July 1990

SUBJECT: Notification of Numbers and Categories of Persons
           Entering and Departing the Republic of Korea

IN TURN:

Republic of Korea Secretary
ROK-US Joint Committee
Ministry of Foreign Affairs
Republic of Korea

Bureau of Legal Affairs
Ministry of Justice
Republic of Korea

In accordance with the Procedures for the Implementation of

Paragraph 1 of Article VIII and Paragraph 3(b) of Article XV of

the Republic of Korea - United States Status of Forces Agreement

as approved at the 6th Joint Committee meeting and amended at

the 14th Joint Committee meeting, the report at Enclosure 1

pertaining to numbers and categories of persons entering and

exiting the Republic of Korea during the period April 1990

through June 1990 is submitted.

Encl.   Entry/Exit   *Malcolm H. Perkins*
        Report   MALCOLM H. PERKINS
                                      Major, USAF
                                      Alternate US Secretary

0016

HE▅▅UARTERS, UNITED STATES FOR▅▅ KOREA
APO SAN FRANCISCO 96301-0010

REPLY TO
ATTENTION OF:

AJ-ED (27)   11 July 1990

MEMORANDUM FOR US SOFA, ATTN: DC-SA, APO 96301-0010

SUBJECT: Entry/Exit Report

The following Entry/Exit Information is provided for 2nd Qtr, 1990.

	US MIL		CIVILIAN		INV CONT		DEPENDENT		TOTAL	
APR 90	ARR	DEP	ARR	DEP	ARR	DEP	ARR	DEP	ARR	DEP
Kimpo	*	1034	*	58	*	0		55	*	1147
Osan	3619	3667	213	255	18	11	1344	1268	5194	5201
Kwangju	291	277	0	0	0	0	12	0	303	277
Kunsan	85	97	16	4	0	0	54	37	155	138
Taegu	207	85	79	78	64	39	0	0	350	202
TOTAL	4202	5160	308	396	82	50	1410	1360	6002	6965
MAY 90										
Kimpo	*	1030	*	55	*	0	*	79	*	1164
Osan	3277	3775	229	240	27	21	1167	1355	4700	5391
Kwangju	25	5	0	0	0	0	4	3	29	8
Kunsan	338	512	4	3	0	0	62	27	404	542
Taegu	137	88	66	41	0	0	51	16	254	145
TOTAL	3777	5410	299	339	27	21	1284	1480	5387	7250
JUN 90										
Kimpo	*	1168	*	47	*	110	*	0	*	1325
Osan	2802	2527	114	141	17	19	918	941	3851	3628
Kwangju	7	1	0	0	0	0	4	0	11	1
Kunsan	507	333	28	1	0	0	83	40	618	374
Taegu	151	90	143	89	0	0	125	54	419	233
TOTAL	3467	4119	285	278	17	129	1130	1025	4899	5561

* Statistics do not include Kimpo arrivals.

JOE M. COTHRON
Director of Education

0017

기 안 용 지

분류기호 문서번호	미안 01225-	(전화 : 720-2324)	시 행 상 특별취급	
보존기간	영구·준영구· 10. 5. 3. 1.		장 관	
수 신 처 보존기간				
시행일자	1991· 1·15·			

보 조 기 관	국 장		협 조 기 관		문 서 통 제	
	심의관				접 열 1991. 1. 10	
	과 장	전 결				
기안책임자	김 인 철				발 송 인	

| 경 유
수 신
참 조 | 수 신 처 참 조 | 발
신
명
의 | | 1991. 1. 16
외무부 |
| 제 목 | SOFA 대상요원 출입국 현황 통보 | | | |

SOFA 제 8조 1항에 의거 주한 미군 당국이 송부 해온

90·10 ~12월간의 SOFA 대상요원 출입국 현황을 별첨 송부

합니다.

첨   부 : 동 출입국 현황 2부   끝·

수신처 : 법무부장관 (출입국관리국장)·국방부장관

(정책기획관)·상공부장관 (통상진흥국장)

0018

1505-25(2-1) 일(1)갑   190mm×268mm 인쇄용지 2급 60g /㎡
85. 9. 9. 승인   "내가아낀 종이 한장 늘어나는 나라살림" 가 40-41 1988. 8. 31.

HEADQUARTERS, UNITED STATES FORCES, KOREA
APO SAN FRANCISCO 96301-0010

REPLY TO
ATTENTION OF:

AJ-ED   (27)

11 January 1991

MEMORANDUM FOR US SOFA, ATTN: DC-SA, APO 96301-0010

SUBJECT: Entry/Exit Report

The following Entry/Exit Information is provided for 4th Qtr, 1990. Kwangju
AB has been deactivated effective 1 Oct 90. Future reports will not list
Kwangju.

	US MIL		CIVILIAN		INV CONT		DEPENDENT		TOTAL	
OCT 90	ARR	DEP	ARR	DEP	ARR	DEP	ARR	DEP	ARR	DEP
Kimpo	*	1103	*	42	*	0		64	*	1209
Osan	2538	1785	129	125	5	1	514	527	3186	2438
Kwangju	0	0	0	0	0	0	0	0	0	0
Kunsan	204	26	4	1	0	0	27	25	235	52
Taegu	33	34	12	29	0	0	6	15	51	78
TOTAL	2775	2948	145	197	5	1	547	631	3472	3777
NOV 90										
Kimpo	*	1160	*	29	*	0	*	34	*	1223
Osan	2299	1768	200	156	78	46	633	610	3210	2580
Kwangju	0	0	0	0	0	0	0	0	0	0
Kunsan	35	200	10	0	0	0	15	13	60	213
Taegu	41	31	59	39	0	0	34	19	134	89
TOTAL	2375	3159	269	224	78	46	682	676	3404	4105
DEC 90										
Kimpo	*	736	*	31	*	0	*	48	*	815
Osan	2327	1861	122	145	6	0	522	553	2977	2559
Kwangju	0	0	0	0	0	0	0	0	0	0
Kunsan	27	20	2	1	0	0	13	7	42	28
Taegu	11	42	3	4	0	0	2	0	16	46
TOTAL	2365	2659	127	181	6	0	537	608	3035	3448

* Statistics do not include Kimpo arrivals.

JOE M. COTHRON
Director of Education

0019

14 January 1991

DC-SA

SUBJECT: Notification of Numbers and Categories of Persons
          Entering and Departing the Republic of Korea

IN TURN:

Republic of Korea Secretary
ROK-US Joint Committee
Ministry of Foreign Affairs
Republic of Korea

Bureau of Legal Affairs
Ministry of Justice
Republic of Korea

In accordance with the Procedures for the Implementation of

Paragraph 1 of Article VIII and Paragraph 3(b) of Article XV of

the Republic of Korea - United States Status of Forces Agreement

as approved at the 6th Joint Committee meeting and amended at

the 14th Joint Committee meeting, the report at Enclosure 1

pertaining to numbers and categories of persons entering and

exiting the Republic of Korea during the period October 1990

through December 1990 is submitted.

Encl.   Entry/Exit   MALCOLM H. PERKINS
        Report   Major, USAF
                               Alternate US Secretary

0020

16076

기 안 용 지

분류기호 문서번호	미안 01225-	(전화 : 720-2324)	시 행 상 특별취급	
보존기간	영구.준영구. 10. 5. 3. 1.	장 관		

| 수 신 처
보존기간 | | | |
| 시행일자 | 1991. 4. 13. | |

보 조 기 관	국 장	전 결	협 조 기 관		문 서 통 제
	심의관				기열 1991. 4. 18 재무
	과 장				
기안책임자	김 인 철			발 송 인

경 유		박신명의	
수 신	수신처참조		1991. 4. 13
참 조			

| 제 목 | SOFA 대상요원 출입국 현황 통보 |

SOFA 제8조 1항에 의거 주한미군 당국이 송부해온 91.1-3월간의

SOFA 대상요원 출입국 현황을 별첨 송부합니다.

첨 부 : 동 출입국 현황 1부.   끝.

수신처 : 법무부장관(출입국관리국장), 국방부장관(정책기획관),

상공부장관(통상진흥국장)

0021

April 11, 1991

DC-SA

SUBJECT: Notification of Numbers and Categories of Persons
Entering and Departing the Republic of Korea

IN TURN:

Republic of Korea Secretary
ROK-US Joint Committee
Ministry of Foreign Affairs
Republic of Korea

Bureau of Legal Affairs
Ministry of Justice
Republic of Korea

In accordance with the Procedures for the Implementation of
Paragraph 1 of Article VIII and Paragraph 3(b) of Article XV of
the Republic of Korea - United States Status of Forces Agreement
as approved at the 6th Joint Committee meeting and amended at
the 14th Joint Committee meeting, the report at Enclosure 1
pertaining to numbers and categories of persons entering and
exiting the Republic of Korea during the period January 1991
through March 1991 is submitted.

Malcolm H. Perkins
MALCOLM H. PERKINS
Major, USAF
Alternate US Secretary

Encl.   Entry/Exit
        Report

0022

HEADQUARTERS, UNITED STATES FORCES, KOREA
APO SAN FRANCISCO 96301-0010

REPLY TO
ATTENTION OF:

FKJ1-ED   (27)   10 April 1991

MEMORANDUM FOR US SOFA, ATTN: DC-SA, APO 96301-0010

SUBJECT: Entry/Exit Report

The following Entry/Exit Information is provided for 1st Qtr, 1991.

	US MIL		CIVILIAN		INV CONT		DEPENDENT		TOTAL	
JAN 91	ARR	DEP	ARR	DEP	ARR	DEP	ARR	DEP	ARR	DEP
Kimpo	*	649	*	8	*	2		44	*	703
Osan	1706	1450	91	103	0	1	209	329	2006	1883
Kunsan	57	66	13	1	0	0	11	9	81	76
Taegu	0	0	0	0	0	0	0	0	0	0
TOTAL	1763	2165	104	112	0	3	220	382	2087	2662
FEB 91										
Kimpo	*	624	*	9	*	5	*	64	*	702
Osan	1528	1024	72	75	16	7	284	238	1900	1344
Kunsan	29	142	4	14	0	0	8	1	41	157
Taegu	0	0	0	0	0	0	0	0	0	0
TOTAL	1557	1790	76	98	16	12	292	303	1941	2203
MAR 91										
Kimpo	*	778	*	16	*	0	*	53	*	847
Osan	1991	1742	129	143	37	18	530	392	2687	2295
Kunsan	214	26	11	3	0	0	25	3	250	32
Taegu	5	0	1	0	0	0	2	0	8	0
TOTAL	2210	2546	141	162	37	18	557	448	2945	3174

   * Statistics do not include Kimpo arrivals.

                              JOE M. COTHRON
                              Director of Education

0023

34986　　　기 안 용 지

분류기호 문서번호	미안 01225-	(전화 : 720-2324)	시 행 상 특별취급	
보존기간	영구·준영구· 10. 5. 3. 1.	장　　　　　관		

시행일자　1991. 7 .25 .

보 조 기 관	국 장	전 결	협 조 기 관	
	심의관			
	과 장			
기안책임자		김 인 철		

경 유		발 신 명 의	
수 신	수신처참조		
참 조			

제 목　SOFA 대상요원 출입국 현황 통보

　　　SOFA 제8조 1항에 의거 주한미군 당국이 송부해온 91. 4~6 월간의

SOFA 대상요원 출입국 현황을 별첨 송부합니다.

　　첨 부 : 동 출입국 현황 1부.　끝.

　　수신처 : 법무부장관(출입국관리국장), 국방부장관(정책기획관),

　　　　　　상공부장관(통상진흥국장)

0024

July 22, 1991

DC-SA

SUBJECT: Notification of Numbers and Categories of Persons
Entering and Departing the Republic of Korea

IN TURN:

Republic of Korea Secretary
ROK-US Joint Committee
Ministry of Foreign Affairs
Republic of Korea

Bureau of Legal Affairs
Ministry of Justice
Republic of Korea

In accordance with the Procedures for the Implementation of

Paragraph 1 of Article VIII and Paragraph 3(b) of Article XV of

the Republic of Korea - United States Status of Forces Agreement

as approved at the 6th Joint Committee meeting and amended at

the 14th Joint Committee meeting, the report at Enclosure 1

pertaining to numbers and categories of persons entering and

exiting the Republic of Korea during the period April 1991

through June 1991 is submitted.

Encl.   Entry/Exit
        Report

MALCOLM H. PERKINS
Major, USAF
Alternate US Secretary

0025

DEPARTMENT OF THE ARMY
HEADQUARTERS, EIGHTH UNITED STATES ARMY
APO SAN FRANCISCO 96301-0009

REPLY TO
ATTENTION OF:

FKJ1-ED (27)   15 July 1991

MEMORANDUM FOR US SOFA, ATTN: FKDC-SA, APO 96301-0010

SUBJECT: Entry/Exit Report

The following Entry/Exit Information is provided for 2nd Qtr, 1991.

	US MIL		CIVILIAN		INV CONT		DEPENDENT		TOTAL	
APR 91	ARR	DEP	ARR	DEP	ARR	DEP	ARR	DEP	ARR	DEP
Kimpo	*	825	*	33	*	6	*	46	*	910
Osan	1808	1618	190	195	24	22	749	817	2771	2652
Kunsan	244	173	9	12	0	0	34	15	287	200
Taegu	2	0	3	0	3	0	0	0	8	0
TOTAL	2054	2616	202	240	27	28	783	878	3066	3762
MAY 91										
Kimpo	*	872	*	49	*	1	*	72	*	994
Osan	3261	2131	143	209	15	3	817	857	4236	3200
Kunsan	479	191	3	8	0	0	44	6	526	205
Taegu	0	0	0	0	0	0	0	0	0	0
TOTAL	3740	3194	146	266	15	4	861	935	4762	4399
JUN 91										
Kimpo	*	1171	*	63	*	2	*	153	*	1389
Osan	2080	1773	83	140	25	1	662	677	2850	2591
Kunsan	99	308	6	5	0	0	68	12	173	325
Taegu	0	0	0	0	0	0	0	0	0	0
TOTAL	2179	3252	89	208	25	3	730	842	3023	4305

* Statistics do not include Kimpo arrivals.

JOE M. COTHRON
Director of Education

0026

외교문서 비밀해제: 주한미군지위협정(SOFA) 42
주한미군지위협정(SOFA) 관련 기타 자료

초판인쇄 2024년 03월 15일
초판발행 2024년 03월 15일

지은이 한국학술정보(주)
펴낸이 채종준
펴낸곳 한국학술정보(주)
주 소 경기도 파주시 회동길 230(문발동)
전 화 031-908-3181(대표)
팩 스 031-908-3189
홈페이지 http://ebook.kstudy.com
E-mail 출판사업부 publish@kstudy.com
등 록 제일산-115호(2000. 6. 19)

ISBN 979-11-7217-053-0 94340
      979-11-7217-011-0 94340 (set)